Faust

Salamander Klassiek

Johann Wolfgang Goethe

# Faust

## Oerversie

Vertaald door en met een nawoord
van Ard Posthuma

Athenaeum—Polak & Van Gennep
Amsterdam 2003

Oorspronkelijke titel *Faust. Frühe Fassung*



Omslag Anneke Germers

ISBN 90 253 1745 6 / NUR 302
www.boekboek.nl
www.klassieken.nl

## Nacht

*In een hooggewelfd, nauw kabinet. Faust onrustig op zijn stoel achter de lessenaar*

FAUST

Nu heb ik, ach, de filosofie,
geneeskunde en rechten en, o spijt,
daarnaast nog de theologie
lang bestudeerd, met noeste vlijt.
Hier sta ik nu, ik arme dwaas,
niets wijzer dan 'k al was, helaas.
'k Ben doctor, ben professor bovendien,
en houd nu al zo'n jaar of tien
bij hoog en laag, van vroeg tot laat
al mijn studenten aan de praat,
beseffend niets te kunnen weten;
dat heeft zich in mijn hart gevreten.
Wel ben ik wijzer dan al die apen
van hooggeleerden, schrijvers en papen,
'k word niet gekweld door vrome twijfel,
ben ook niet bang voor hel of duivel –
maar toch, mijn vreugde is gevlogen:
geen kennis waar ik op kan bogen,
geen mens die ik iets heb te leren
of tot iets hogers kan bekeren.
Ook heb ik nergens geld of goed,
niemand die mij met eerbied groet.
Geen hond die zo zou willen leven!
Dat heeft mij tot de magie gedreven:
wie weet, als ik naar geesten luister

komt eindelijk meer licht in 't duister.
Dan moet ik niet meer, klam van 't zweet,
verkondigen wat ik zelf niet weet,
maar krijg te zien welk krachtenspel
ten grondslag ligt aan dit bestel,
'k doorgrond de zaden en het rijpen
en hoef niet steeds naar 't woord te grijpen.

O volle maan, zag jij me maar
voor 't laatst achter mijn lessenaar,
waar ik je vaak om middernacht
met pijn in 't hart heb opgewacht,
dan, boven boeken en papier,
mijn bleke vriend, verscheen je hier!
Kon ik maar door 't gebergte dwalen
in 't zachte schijnsel van je stralen,
geesten opzoeken in hun holen,
langs schemerende weitjes dolen
en niet geplaagd door muizenissen
me heilzaam in je dauw verfrissen!

God weet hoe lang ik mij al kwel
in mijn vervloekte, muffe cel
waar 't hemellicht niet langer straalt
maar in het glas-in-lood verschaalt!
met boekenzerk als struikelblok,
leesstof voor made, luis en spint;
een steil gewelf, tot in de nok
met kladpapiertjes volgepind;
een lorrenboedel, eeuwenoud,
met kolven, vaten, waar ik kijk,

en instrumenten volgestouwd:
dat is je wereld, dat is je rijk!

En vraag jij nog wat het kan zijn
dat jou vanbinnen zo beklemt,
door welke mysterieuze pijn
je levenslust zo is gestremd?
Terwijl het rondom klopt en bruist
in Gods natuur, grijnzen je hier,
in walm en keldergeur behuisd,
de schedels toe van mens en dier.

Vlucht! zoek de oneindige natuur!
En wijst dit wonderlijke boek
met Nostradamus' signatuur
mij niet de weg bij 't onderzoek?
De loop der sterren geeft het aan,
't is de natuur waar je in leest;
je zult wat haar bezielt verstaan
in het discours van geest tot geest.
Wat baat het dat droog denkwerk mij
die heilige tekenreeks verklaart.
Geesten, hier zwevend aan mijn zij;
ik roep u, toon uw ware aard!

*Hij slaat het boek open en ziet het teken van de macrokosmos.*

Ha! hartverheffend is deze figuur,
mijn zinnen tintelen, ik voel een gloed
van nieuw geluk, een heilig vuur
begint te laaien in mijn bloed.
Was het een god die deze tekens schiep
die mij met nieuw geluk vervullen?

Ik voel in mij de razernij verstillen,
nu zij de wetten, wonderlijk en diep,
van de natuur aan mij onthullen.
Ben ik een god? Ik baad opeens in licht!
Ik zie het Plan, mijn ziel aanschouwt
hoe de natuur haar krachtenspel ontvouwt.
Nu pas begrijp ik wat de wijze zegt:
'Het geestenrijk is niet gesloten;
*jij* zit op slot, je hart is dood!
Leerling, sta op! baad onverdroten
je aardse borst in 't morgenrood!'
*Hij bekijkt het teken.*
Hoe hier tot eenheid is verweven
't oneindig netwerk van het leven!
Kosmische krachten stijgen en dalen,
steeds doorgegeven in gouden schalen!
alsof in glijvlucht hun zegeningen
vanuit de hemel de aarde doordringen,
in harmonie het heelal laten zingen!

Een kosmorama! maar niet méér dan dat!
Oneindige natuur, ik krijg op jou geen vat!
Waar is je lafenis, waar zijn je borsten,
waar alles, hemel en aarde, aan hangt,
waar elk verstervend wezen naar verlangt –
zo vol en rijp, en ik moet hier verdorsten!
*Hij slaat met tegenzin de bladzij om en ziet het teken van de aardgeest.*
Hoe anders raakt dit teken mij!
Geest van de aarde, jij bent dichterbij,
't is of er nieuwe krachten in mij groeien,

alsof ik jonge wijn in mij voel gloeien.
Ik ben bereid de wereld uit te dagen,
alles, geluk of rampspoed, wil ik wagen,
schrap staan als stormen 't schip belagen,
mijn lot op 't zinkend wrakhout niet beklagen.
Er trekken wolken samen.
De maan verbergt zijn licht!
De lamp gaat uit!
Het rookt! Er flitsen rode stralen
om mijn hoofd – een kille wind
blaast uit de nok
en grijpt me beet!
Ik voel: jij zweeft hier rond,
bezworen geest!
Verschijn!
Ha! hoe het in mij bonkt en kookt!
Ik kan weer voelen en hopen,
mijn zinnen staan wijdopen,
ik wil voor jouw verschijning alles geven!
Je moet! Je moet! Al kost het ook mijn leven!

*Hij pakt het boek en spreekt op geheimzinnige toon de geestesbezwering uit. Er laait een rode vlam op, de geest verschijnt in de vlam, in afschuwelijke gedaante.*

GEEST
Wie roept mij?

FAUST *zich afwendend*
Afgrijselijk gezicht!

GEEST
Jij die mij met geweld kwam wekken,
mij aan mijn sfeer durft te onttrekken,
wat is –

FAUST

O wee! ik houd mijn ogen dicht!

GEEST

Jij smeekt en roept en zuigt mij aan,
wilt mijn verschijning zien, mij horen spreken,
ik geef gehoor aan je bidden en smeken,
hier ben ik! – en jij dwergtitaan
kruipt weg! Waar is de ziel die riep,
de borst die trots een wereld schiep
in zelfbeheer? Die dacht in hoger sferen
met geesten als gelijke te verkeren?
Waar ben je, Faust? ik heb je stem gehoord,
verschenen ben ik op je krachtig woord,
jij, die mijn adem alweer wilt ontlopen,
hier sidderend onder de grond gekropen,
een bange, spartelende worm.

FAUST

Jij vuurkolom, wat zou ik je ontwijken?
Ik ben het, Faust, ben jouw gelijke!

GEEST

In levenskolken, in dadenstorm
slinger en zwaai ik,
weef ik en waai ik!
verschijning, verdwijning,
een eeuwige deining,
een wisselend leven!
Zo, op het suizende raam van de tijd,
weef ik het goddelijk levenstapijt.

FAUST

Eindeloos cirkelende satelliet,
ik ken je als mezelf, nijvere geest.

GEEST
Jij schoeit mij op je eigen leest:
een maat te klein! Mij ken je niet!
*Verdwijnt.*
FAUST *verpletterd*
Te klein?
Te klein voor jou?
Ik, naar Gods evenbeeld gemaakt,
te klein voor jou?
*Er wordt geklopt.*
O wee! ik ken die klop: mijn assistent.
Die helpt al mijn geluk om zeep!
Een weids visioen en een zo'n droge vent
maakt alles stuk met zijn gedweep.
*Wagner in kamerjas, met een slaapmuts op en een lamp in zijn hand. Faust draait zich met tegenzin naar hem om.*
WAGNER
Pardon! ik hoorde u daar reciteren;
iets uit een Grieks toneelstuk, leek het wel.
Ik hoopte van uw kunst te kunnen profiteren,
retorica is tegenwoordig erg in tel.
Van de komedie, hoort men vaak beweren,
kan zelfs een predikant nog wel wat leren.
FAUST
Ja, als die predikant een komediant is,
wat tegenwoordig nogal eens geschiedt.
WAGNER
Ach! wie slaaf van zijn boekenwand is,
de wereld hooguit op een zondag ziet,
is vaak onzeker als hij wil proberen
de mensheid overtuigend te beleren.

FAUST

Wie het niet voelt, zal het vergeefs najagen,
als 't niet uit jullie ziel te voorschijn springt
en met een krachtig zelfbehagen
de harten van de toehoorders bedwingt.
Probeer maar snel iets in elkaar te flansen,
kook je ragout van andermans diner
en blaas goed in je hoopje as, dan dansen
er vast nog wel een vlammetje of twee!
Applaus van kinderen en ezelskoppen,
't kan zijn dat je daarbij al bent gebaat,
maar harten sneller te doen kloppen,
dat lukt alleen als het van harte gaat.

WAGNER

Jaja, een goede voordracht helpt me vast.

FAUST

Bewaar die voordracht voor de poppenkast!
Magistertje, zet jij jezelf maar schrap!
Toeters en bellen kunnen overboord.
Want vriendschap, liefde, broederschap,
vinden die niet vanzelf het juiste woord?
En heb je echt iets te vertellen,
kun je het zonder mooie praatjes stellen.
Heel jullie glanzend gepolijste taal
is handel in gebakken lucht;
dat alles is zo mistig, kil en schraal
als herfstwind die in dorre bladeren zucht.

WAGNER

Helaas! de kunst is lang
en o zo kort ons leven!
Soms vrees ik dat ik in mijn kritisch streven

te veel verg van mezelf. Dat maakt me bang.
Want lastig zijn de middelen te verwerven
voor tot de bron kan worden afgedaald.
Vaak is het einddoel nog niet half gehaald
of een armzalig mens ligt al op sterven.

FAUST

Het perkament, les je daarmee je dorst?
is dat de heilige bron die lafenis biedt?
Ware verkwikking vind je niet
dan als het opwelt in je eigen borst.

WAGNER

Pardon! het is toch een belevenis
te zien wat er in vroeger tijd geschreven is,
wat vóór ons ooit een wijs man heeft gedacht
en hoe wij 't nu zo heerlijk ver hebben gebracht.

FAUST

O ja, tot aan de verste sterrennevels.
Nee, beste man, wat vóór ons is geschied,
dat blijft een boek met zeven zegels.
En tijdgeest, dat is anders niet
dan wat de mensheid denkt of vreest:
de tijd, gespiegeld in haar eigen geest.
En die is dikwijls nogal desolaat.
Wie er één blik in werpt, gaat op de loop:
een rommelhok, een vuilnishoop,
hooguit een veldslag of een politieke Daad
waar steeds weer een gevleugeld woord bij past,
zoals 't vertoond wordt in de poppenkast.

WAGNER

De wereld dan! de mens, zijn geest, zijn hart!
daarvan wil iedereen toch graag het zijne weten?

FAUST

Ieder het zijne, voor mijn part.
Het fijne wordt daarbij maar al te graag vergeten
en zelden wint de moed het van 't verstand!
De weinigen die van hun hart geen moordkuil maken
en hun gevoelens en visioenen niet verzaken
heeft men vanouds gekruisigd en verbrand.
Het spijt me, vrind, het is al laat genoeg
en tijd om ons gesprek hier af te breken.

WAGNER

Ik ging het liefste door tot morgen vroeg,
't is heerlijk zo geleerd met u te spreken.

*af*

FAUST *alleen*

Hoe houdt iemand het vol te dwepen
met iets zo zonder smaak of pit?
Dat iemand naar een schat te zoeken zit
en zich met regenwormen af laat schepen!

*

*Mefistofeles in een nachthemd,*
*met een grote pruik op. Een student*

STUDENT

Ik ben hier pas een halve dag
en kom om met gepast ontzag
in u een man te horen spreken
wiens wijsheid alom is gebleken.

MEFISTOFELES

Bedankt voor 't compliment, meneer!

Zoals ik ben, zijn er wel meer.
Ben je hier verder al bekend?

STUDENT

Ik werd het liefste úw student.
Ik wil met frisse moed aan 't werk,
heb flink gespaard, ben jong en sterk,
mijn moeder kon me haast niet ontberen,
ik kwam hier om iets zinnigs te leren.

MEFISTOFELES

Dan zit je op het goede spoor.

STUDENT

Nou! 'k ging er liever al vandoor!
Ik vind het hier zo dor en droef,
in ieder huis lijkt honger troef.

MEFISTOFELES

Welnee! Daar raak je aan gewend,
het is hier een en al student.
Maar heb je al een kamer, zeg?
Want zonder dat...!

STUDENT Wijst u me toch de weg!

Ik ben hier als een lam verdwaald,
wil weten waar je het goede haalt,
wil weten wat ik beter vermijd,
maar ook plezier en vrije tijd
en ook studeren, lang en breed,
met kop en oren onder het zweet!
Helpt u me alstublieft, meneer,
dat ik van alles profiteer.

MEFISTOFELES *krabt zich achter zijn oren.*

Nog zonder kamer, zei je dat?

STUDENT
Heb daarvoor nog geen tijd gehad,
ben met mijn herberg best tevree,
een leuke meid zorgt voor 't diner.

MEFISTOFELES
In godsnaam, laat je niet verleiden!
Biljartspel, zuipen, pret met meiden
die even met hun kontjes draaien,
dat is je tijd verpierewaaien.
Maar des te groter is de winst
wanneer tot wederzijds genoegen
zich de studenten op zijn minst
één keer per week bij ons vervoegen.
Wie onze wijsheid op wil likken,
mag rechts naast ons aan tafel zitten.

STUDENT
Ik krijg een allernaarst gevoel!

MEFISTOFELES
Het dient nochtans een hoger doel.
Je eerste zorg is je logies,
behartig dringend mijn advies:
vraag of Madame Spitzbierlein morgen
je een van haar kamers wil bezorgen.
Zij herbergt studenten bij de vleet,
't is iemand die van wanten weet.
In Noachs ark was 't wél zo luxurieus,
maar ja, je hebt geen andere keus
en zult niet dieper in de buidel tasten
dan wie vóór jou hun naam in 't schijthok krasten.

STUDENT
Ik krijg het zo benauwd als wat,

of 'k al in de collegebanken zat.

MEFISTOFELES

Waarmee 't logies geregeld is,
nu nog voor weinig geld je dis!

STUDENT

Dat zit wel goed, mij interesseert
wie mij mijn geest verrijken leert.

MEFISTOFELES

Jij schat! Je bent hier voor het eerst,
zult heus wel merken wat voor geest hier heerst.
Maar moeders pappot moet je wel vergeten,
ranzige boter, water bij het eten.
Groene asperges zijn er hier niet bij,
hier ben je met brandnetelsla al blij,
daar laat je ganzen van laxeren,
de maag heeft er niet veel aan te verteren.
Aan vlees is als aan sterren geen gebrek:
je gaat van schaap of kalf over je nek.
Maar wat je voorganger niet heeft betaald
wordt uiteraard op jou verhaald.
Let op je beurs, dat spaart je zorgen,
vooral geen geld aan vrienden borgen,
betaal op tijd en naar behoren
kroegbazen, naaisters en professoren.

STUDENT

Eerwaarde heer, dat komt wel goed!
Maar zeg me nu hoe het verder moet!
Ik stond klaar om met rasse schreden
het veld van wijsheid te betreden,
maar 't blijkt een hele wildernis,
en bar en droog dat het er is!

Thuis placht ik het me voor te stellen
als een arcadia waar frisse bronnen wellen.

MEFISTOFELES

Zeg, voor jij je daarin verliest,
eerst welke faculteit je kiest.

STUDENT

Arts wil ik worden, maar vooral
kennis vergaren van 't heelal,
van de natuur, van dit en dat:
dus leren wat er valt te leren.

MEFISTOFELES

Dan ben je op het goede pad.
Maar niet lukraak maar iets studeren.
Luister welk middel ik je noem:
doe eerst 't *collegium logicum.*
Daar wordt je geest in vorm geplet
en krijgt een passend denkcorset;
zo'n keurslijf maakt dat hij voortaan
bedachtzamer zijns weeg zal gaan
en niet als dwaallichtje vermomd
zomaar wat aangedwarreld komt.
Daar hoor je verder lang en breed
dat alles wat je domweg deed
(je schrokte, slurpte en had geen idee)
gebeurt volgens a, b en c!
Wel werkt onze gedachtefabriek
fijn als het wevend mechaniek
waar duizend draden op en neer gaan,
de spoeltjes flitsend heen en weer gaan,
de draad, onzichtbaar ingelegd,
per slag duizend verbanden vlecht;

toch is de filosoof vereist
die daar de noodzaak van bewijst:
punt één is zus, punt twee is zo,
en drie en vier zijn daarom zó,
en zonder één en twee was dus
punt drie niet zo en vier niet zus.
Dat kunnen de studenten wel dromen,
al zijn daar nooit wevers uit voortgekomen.
Wie iets wat leeft wil onderzoeken en beschrijven
moet eerst de geest eruit verdrijven,
dan heeft hij alle deeltjes in de hand,
ontbreekt alleen het geestelijk verband:
*encheiresis naturae*, maar niet heus!
En neemt zichzelf en anderen bij de neus.

STUDENT

Daar kan ik niet goed wijs uit worden.

MEFISTOFELES

Dat komt heus allemaal in orde
zodra je leert te reduceren
en alles te classificeren.

STUDENT

Ik voel me uitermate dom
bij wat u zegt, mijn hoofd loopt om.

MEFISTOFELES

Belangrijk is dat je daarna
begint met Metafysica!
Daarmee stel je diepzinnig vast
wat in de hersenpan niet past.
Gaat dit of dat boven je pet,
't krijgt toch een prachtig etiket.
Zorg in de tijd die komen gaat

vooral voor orde, regelmaat.
Vijf uur college, iedere dag,
zit klaar op de eerste klokkenslag!
Wees voorbereid, worstel je braaf
van paragraaf naar paragraaf,
zodat het je straks niet ontgaat
dat wat je hoort ook zó in 't boekje staat;
schrijf alles op, geconcentreerd,
alsof de Heilige Geest dicteert.

STUDENT

Pardon, ik wil u niet te lang vervelen
maar wat mij interesseert is dit:
hoe het met Medicijnen zit,
als u me dát nog bondig mee kunt delen?
Drie jaar is maar zo'n korte tijd
en het gebied te uitgebreid.
Een kleine tip betekent al heel wat,
daar kan ik dan mee uit de voeten.

MEFISTOFELES *ter zijde*

Dat professorentoontje ben ik zat,
zal weer voor duivel spelen moeten.

*met stemverheffing*

Geneeskunde is snel omschreven:
om mens en kosmos gaat het hier
en of ze wel of niet genezen
is Gods bestier.
Daar sta je met je wetenschap voor schut,
een mens leert nooit meer dan hij leren kan,
maar wie het ogenblik benut
is de gevierde man.
Jij bent toch aardig goedgebouwd

en kunt jezelf prima verkopen:
zolang je op jezelf vertrouwt
gaan alle deuren voor je open.
Je mag vooral de vrouwtjes niet schofferen,
maar vindt voor al hun ach en wee
een panacee,
die hoef je nooit te variëren,
en speel je het niet al te grof
ben je verzekerd van hun lof.
Je titels zullen het vertrouwen wekken
dat jij meer dan een ander kunt;
bij binnenkomst palpeer je al hun zwakke plekken
(wat anderen in geen jaren is vergund!)
je voelt haar polsje heel nieuwsgierig,
je kijkt haar vurig aan, legt zwierig
je handen om haar slanke leest en pelt
haar uit het lijfje als het knelt.

STUDENT

Dat lijkt me leuker dan filosofie!

MEFISTOFELES

Grauw, jongeman, is alle theorie
en groen de gouden levensboom.

STUDENT

Ik zweer het u, 't is of ik droom.
Mag ik u later nog eens komen storen
om deze bron van wijsheid aan te boren?

MEFISTOFELES

Als het je helpt, 't is graag gedaan.

STUDENT

Ik kan onmogelijk zo weer gaan.
Wilt u een opdracht in mijn album schrijven?

Ik zal u eeuwig dankbaar blijven.

MEFISTOFELES

Heel graag.

*Hij schrijft en overhandigt het.*

STUDENT *leest hardop*

Eritis sicut Deus, scientes Bonum et Malum.

*Hij klapt het eerbiedig dicht en neemt beleefd afscheid.*

MEFISTOFELES

Wijsheid van tante Slang, daar moet je maar naar leven,
je zult nog eens van pure godgelijkheid staan te beven!

*

## Auerbachs kelder in Leipzig

*Vrolijk drinkgelag*

KWAKERNAAK

Wil niemand drinken? niemand joelen?
Wat trekken jullie voor duffe smoelen!
Heb je nat zaagsel in je hoofd?
is al je vuurwerk weer gedoofd?

BRANDER

Als iemand duf is, dan ben jij 't:
waar is je gein, je ranzigheid?

KWAKERNAAK *leegt een glas wijn over zijn hoofd.*

Hier heb je ze!

BRANDER

Ezel! Varken, jij!

KWAKERNAAK

Geen wonder, met jullie erbij!

SIEBEL

Wel verdrieduiveld! Koest! Zing van een twee drie daar gaat ie!
Zing en zet het op een zuipen. Olé! Olé! Ohhh –

OUDMAN

Breng watjes! die vent ruïneert mijn oren!

SIEBEL

Kan ik er wat aan doen dat dit vervloekt lage gewelf zo galmt.
Zingen!

KWAKERNAAK

Tarara boemdi-jee! We zijn gestemd! En nu?

*zingt*

Ons Heilige Roomse Duitse Rijk
dreigt uit elkaar te vallen.

BRANDER

Bah, geen fijn lied! Een politiek lied, een heel naar lied. Je kunt
God danken dat je met het Heilige Roomse Rijk niks van doen
hebt! Kom op, wij kiezen onze Pias de Zoveelste.

KWAKERNAAK *zingt*

Stijg omhoog, o nachtegaal,
groet mijn liefje wel tienduizend maal.

SIEBEL

Godammenooitniet! Groet mijn liefje! – Een sprinkhanen-
pasteitje met gevulde dorre eikenbladeren van de Blocksberg,
haar aangeboden door een gestroopte haas met een hanenkop
en verder geen nachtegalengroet. Heeft ze me niet – met snor en
toebehoren de deur uit gezet als een versleten bezem, en dat
vanwege – Verdrieduiveld! Geen groet, zeg ik je, behalve dan een
steen door d'r ruiten.

KWAKERNAAK *knalt zijn bierpul op de tafel.*

Stilte! – Een nieuw lied, kameraden, nou ja een oud lied, zo
je wilt! – Let op en zing het refrein mee. Een twee drie, daar gaat
ie!

Er zat een rat in 't keldergat,
vrat enkel spek en boter,
hij vrat tot hij een buikje had
als Luther of nog groter.
De dienstmeid gaf hem rattengift,
hij rende weg in wilde drift,
als was ie dol van liefde.

IN KOOR *juichend*

Als was ie dol van liefde.

BRANDER

Hij rende razend in het rond
en dronk uit alle flessen,
hij krabde, knaagde waar hij kon,
zijn dorst was niet te lessen;
hij sprong bezeten op en neer,
toen kon het arme dier niet meer,
als was ie dol van liefde.

IN KOOR *juichend*

Als was ie dol van liefde.

BRANDER

Bij daglicht kwam hij afgemat
de keuken in gekropen,
lag reutelend op de keukenmat
en kon geen stap meer lopen.
Toen riep wie hem vergiftigd had:
die heeft zijn portie wel gehad!
Als was ie dol van liefde.

IN KOOR *juichend*

Als was ie dol van liefde.

SIEBEL

En een flinke dosis rattengif in de soep van de kokkin.

Ik ben niet echt teerhartig, maar zo'n rat daar zou je toch diep medelijden mee krijgen.

BRANDER

Je bent zelf een rat. Ik zie zo'n vetbuik liever bij het fornuis zijn laatste adem uitblazen.

*Faust en Mefistofeles*

MEFISTOFELES

Nou, kijk ze hier eens tekeergaan! Als je wilt, verschaf ik je dag en nacht zulk gezelschap.

FAUST

Goedenavond, heren!

ALLE AANWEZIGEN

Van harte bedankt!

SIEBEL

Wie is die kwakzalver daar?

BRANDER

Stil! da's een deftig incognito-stelletje, zo ontevreden en kwaadaardig als ze uit hun ogen kijken.

SIEBEL

Pah! Hooguit een stel komedianten.

MEFISTOFELES *zacht*

Typisch! Denken geen moment aan de duivel, al is ie nog zo dichtbij.

KWAKERNAAK

Ik zal ze wel eventjes uithoren over waar ze vandaan komen. Is de weg van Brussel naar hier zo slecht dat jullie zo laat op de avond hier aan komen zetten?

FAUST

Daar komen we niet vandaan.

KWAKERNAAK
O, ik dacht dat jullie bij het beroemde Manneke gedineerd hadden.

FAUST
Die ken ik niet? *De rest lacht.*

KWAKERNAAK
O, maar die komt uit een oud geslacht. Met een heleboel nazaten.

MEFISTOFELES
Als ik jou zie, is het één pot nat.

BRANDER *zachtjes tegen Kwakernaak*
Die zit! Die vent is zo dom nog niet.

KWAKERNAAK
Bij Biervliet zeker weer lang op de zuipschuit moeten wachten?

FAUST
Zeg!

SIEBEL *zacht*
Die komen uit het rijksgebied, dat is ze aan te zien. Laat ze eerst maar even fideel worden – Zijn jullie liefhebbers van een stevige dronk? Kom 'r dan bij zitten!

MEFISTOFELES
Met alle plezier. *Ze proosten en drinken.*

KWAKERNAAK
Maar dan nu een liedje, heren. Een liedje voor een glas wijn, voor wat hoort wat!

FAUST
Ik kan niet zingen.

MEFISTOFELES
Ik zing er een voor mezelf, twee voor mijn vriend hier, of honderd als jullie willen. Wij komen uit Spanje waar 's nachts evenveel liederen worden gezongen als er sterren aan de hemel staan.

BRANDER
Daar zou ik voor bedanken. Ik haat dat getokkel, behalve als ik me zo bewusteloos heb gezopen dat de wereld van mij mag vergaan. – Zo'n serenade is meer iets voor kleine meisjes die niet kunnen slapen en voor het raam staan om het koele maanlicht op te slurpen.

MEFISTOFELES

Er was er eens een koning
die had een grote vlo.

SIEBEL
Stilte! Luisteren allemaal! Het nieuwste van het nieuwste! Fraaie hobby, dat!

KWAKERNAAK
Opnieuw!

MEFISTOFELES

Er was er eens een koning,
die had een grote vlo
die hij met melk en honing
vertroetelde als een zoon.
De kleermaker moest komen
en tonen wat hij kon:
ga knippen, naaien, zomen,
meet op, die pantalon!

SIEBEL
Prima gemeten! Prima! *Ze barsten in lachen uit.*
Laat er vooral geen valse plooi in komen!

MEFISTOFELES

Zo steeg hij snel in waarde
en werd alom geëerd,
met eikenloof en zwaarden
zijn borst gedecoreerd,

en werd meteen minister
en droeg een hoge steek
en kinders, neef en nichten,
net zo binnen een week.

De hele hofelite
was zwaar geïrriteerd,
[de koningin, de freule,
ten zeerste gepikeerd,]
en mochten ze niet pletten
en raakten ze niet kwijt.
Wíj maken korte metten
wanneer een vlo ons bijt.

IN KOOR *juichend*

Wij maken korte metten
wanneer een vlo ons bijt.

ALLEMAAL *door elkaar*

Bravo! Bravo! Heel mooi en toepasselijk! Nog een! Nog een paar bekers! Nog een paar liedjes!

FAUST

Mijne heren! Die wijn kan ermee door! Door de gootsteen welteverstaan, zoals alle wijn in Leipzig. U hebt er hoop ik niets op tegen dat ik voor deze ronde uit een ander vaatje tap?

SIEBEL

Heeft u een eigen kelder? Bent u wijnhandelaar? Bent u zo'n Zuid-Duitse rakker? –

OUDMAN

Momentje! *Hij staat op.* Even de test doen of ik wel mag doorgaan met drinken. *Hij doet zijn ogen dicht en blijft een tijdje zo staan.* Nou, nou! Mijn hoofd begint al behoorlijk te wiebelen.

SIEBEL
Kom op met je fles! Ik zal het voor God en je vrouwvolk verantwoorden. Kom op met die wijn!

MEFISTOFELES
Geef me een boor!

KWAKERNAAK
De waard heeft daar in de hoek zijn mandje gereedschap staan.

FAUST *neemt de boor.*
Oké, wat wil je voor wijn?

KWAKERNAAK
Huh?

FAUST
Wat voor wijntje je wilt drinken! Ik zorg ervoor!

KWAKERNAAK
Zo! Zo! Een glas rijnwijn, echte Nierensteiner.

FAUST
Oké! *Hij boort aan Kwakernaaks kant een gat.*
Nu graag wat was!

OUDMAN
Hier is een kaarsstompje.

FAUST
Mooi zo! *Hij dicht het gat.* Klaar is Kees! En u?

SIEBEL
Zoete Spaanse! en anders niks. Ik wil wel eens zien wat ervan komt.

FAUST *boort en dicht het gat.*
En wat wilt u?

OUDMAN
Rode wijn! Een Frans wijntje! – Ik heb een hekel aan de Fransen, maar hun wijn kan ik waarderen.

FAUST *als hiervoor*
En? Wat wil jij?

BRANDER
Houdt ie ons voor de gek?

FAUST
Vooruit! Noem een wijn, meneer!

BRANDER
Tokayer dan maar! – Die moet zeker uit de tafel lopen!

FAUST
Stil, jongeman! – Nu opgelet! Hou je glas eronder. Iedereen mag zijn stop eruit trekken! Maar zorg dat je geen druppel op de grond morst, anders gebeurt er een ongeluk.

OUDMAN
Dit wordt me te griezelig. Die man is een duivel.

FAUST
Alle stoppen los!

*Ze trekken de stoppen eruit, en de beloofde wijn stroomt in ieders glas.*

FAUST
Stoppen d'r weer op! En proeven maar!

SIEBEL
Smaakt best! Allervorstelijkst!

ALLEMAAL
Best! Allervorstelijkst! – Prima gast!

*Ze zetten het op een drinken.*

MEFISTOFELES
Nu gaan ze los.

FAUST
Wij smeren hem!

MEFISTOFELES
Heel even nog.

ALLEN *zingen*

Wij zuipen bij de beesten af
gelijk vijfhonderd zwijnen!

*Ze drinken het ene glas na het andere. Siebel laat de stop vallen, de wijn spat op de stenen vloer, begint te branden en laait bij hem op.*

SIEBEL

Wel alle duivels!

BRANDER

Tovenarij! Tovenarij!

FAUST

Ik had je gewaarschuwd.

*Hij dicht de opening weer af en spreekt een paar woorden, de vlam verdwijnt.*

SIEBEL

Godverdesatan! – Dacht je hier in eerlijk gezelschap zomaar jouw helse hocus-pocus te kunnen vertonen?

FAUST

Hou je mond, mestvarken!

SIEBEL

Ik mestvarken? Jij bezemsteel! Mannen! Sla hem in elkaar! Neem hem te grazen! *Ze trekken hun messen.* Tovenaars zijn vogelvrij! Vogelvrij volgens de wet.

*Ze willen Faust te lijf, hij maakt een handgebaar, zij blijven in opperste verbazing staan en kijken elkaar aan.*

SIEBEL

Wat zie ik? Wijnbergen!

BRANDER

Druiven in deze tijd van het jaar!

OUDMAN

Hartstikke rijp! Hartstikke mooi!

KWAKERNAAK

Maar deze tros is de mooiste!

*Ze beginnen te graaien, pakken elkaar bij de neus en zwaaien met hun mes.*

FAUST

Stop! – Ga naar huis en slaap jullie roes uit!

*Faust en Mefistofeles af*

*De rest komt tot bezinning en stuift gillend uit elkaar.*

SIEBEL

Mijn neus! Was dat jouw neus? Waren dat druiventrossen? Waar is ie?

BRANDER

Ervandoor! Het was de duivel in eigen persoon!

KWAKERNAAK

Ik zag hem op een wijnvat naar buiten rijden.

OUDMAN

Zag je dat? Dan is het buiten op de markt ook niet pluis meer –
Hoe komen we nu veilig weer thuis?

BRANDER

Siebel gaat voorop!

SIEBEL

Ik ben daar gek!

KWAKERNAAK

Kom, we halen de stadswacht erbij, hier onder het raadhuis;
voor een fooi zijn die wel te porren. Kom!

SIEBEL

Zou er nog wijn uit komen? *Hij inspecteert de stoppen.*

OUDMAN

Maak je geen illusies! Zo droog als kurk!

KWAKERNAAK

Kom, mensen! Wegwezen!

*allemaal af*

*

## Landweg

*Een kruisbeeld langs de weg, rechts op de heuvel een oud kasteel, in de verte een boerderijtje*

FAUST
Mefisto, hé, wat loop je snel!
Waarom bij 't kruis je ogen neergeslagen?

MEFISTOFELES
Het is een vooroordeel, dat weet ik wel,
ik kan die aanblik domweg niet verdragen.

*

## Straat

*Faust, Margarete komt voorbij.*

FAUST
Zeg, wonderschone jongedame,
wandelen u en ik een eindje samen?

MARGARETE
Niks geen dame, niks wonderschoon,
ik weet heus zelf wel waar ik woon.
*Zij maakt zich los en loopt door.*

FAUST
O, wat een prachtig kind is dat!
Mijn hart heeft dadelijk vlam gevat.
Zo onverdorven, zo sereen,

en een brutaaltje ook meteen.
Die wangetjes, zo blank als room,
die rode mond, 't is of ik droom!
Hoe zij de ogen neersloeg, éven,
dat blijft me bij, mijn hele leven;
en wat ze zei, 't was zo ad rem,
met die betoverende stem!

*Mefistofeles verschijnt.*

FAUST

Luister! Jij gaat erachteraan!

MEFISTOFELES

Wie, wat?

FAUST

Ze liep hier net voorbij.

MEFISTOFELES

O, die kwam van de biecht vandaan,
zo'n paap sprak haar van zonden vrij;
toevallig stond ik er vlakbij,
het is een doodonschuldig ding,
dat net voor nop uit biechten ging;
geen kans dat ik me eraan vergrijp!

FAUST

Met veertien is ze toch al rijp.

MEFISTOFELES

Wauw, hoor nou toch die geilneef eens!
Is 't schone bloemetje naar wens?
Verbeeldt u zich dat deugd en eer
zich laten plukken zonder meer?
Ik vrees dat dát niet altijd gaat.

FAUST

Ik vraag, meneer de advocaat,

niet om juridische adviezen!
maar zeg je recht in je gezicht:
wanneer dit lieve kleine wicht
vannacht niet in mijn armen ligt
pak jij om twaalf uur je biezen!

MEFISTOFELES

Het zit niet altijd even mee,
het kost me zo een week of twee
zo'n tête-à-tête te arrangeren.

FAUST

Binnen een week (kreeg ik de tijd)
had ik dat schatje al verleid,
hoefde geen duivel te engageren.

MEFISTOFELES

Dat noem ik nog eens Franse zwier!
Maar wees gerust, het zal best lukken!
Waarom meteen zo'n bloempje plukken?
Uitstel vergroot juist het plezier!
Voor men zo'n hartig hapje eet,
dient er geroerd, verhit, gekneed,
pikant gekruid, dan is 't pas feest,
zoals je bij Boccaccio leest!

FAUST

'k Heb trek ook zonder al die gein.

MEFISTOFELES

Laat mij dan even duidelijk zijn!
Ik zeg je: bij die mooie meid
helpt ons alleen omzichtigheid:
stapje voor stapje, niets forceren,
het liever met een list proberen.

FAUST

Ik wil van 't engeltje een pand,
een halsdoekje, een kousenband,
breng mij zo'n liefdesamulet!
of liever: breng mij bij haar bed!

MEFISTOFELES

Let op hoe goed ik 't met je meen,
ik ga aan het werk en wel meteen;
ik wil je kwaal niet nodeloos verlengen,
zal je gauw naar haar kamertje brengen.

FAUST

Ik zal haar zien, bezitten?

MEFISTOFELES Neen!

Ze zal dan bij de buurvrouw zijn,
maar jij kunt rustig haar domein
verkennen en verlekkerd dromen
van wat er heerlijks staat te komen.

FAUST

Kunnen we gaan?

MEFISTOFELES

Het duurt nog even.

FAUST

Zorg jij dat ik dat kind iets heb te geven.

*af*

MEFISTOFELES

Hij denkt voor prins te moeten spelen.
Had Lucifer nog meer van zulke gasten
die zo zijn goud en goed verbrasten,
stond ie vandaag al onder curatele.

*af*

*

## Avond

*Een kleine, kraakheldere kamer*

MARGARETE *bezig haar haar te vlechten en op te binden*
Kreeg ik maar antwoord op de vraag
wie nu die man toch was vandaag!
Een hele kanjer om te zien,
van goeden huize bovendien,
dat had ik al meteen bekeken –
en mij op zo'n manier aan te spreken!
*af*

*Mefistofeles, Faust*

MEFISTOFELES
Naar binnen, zachtjes, daar maar heen!
FAUST *na een pauze*
Laat mij een ogenblik alleen!
MEFISTOFELES *om zich heen kijkend*
Zo schoon is 't niet bij iedereen.
*af*
FAUST *opkijkend, het hele vertrek in zich opnemend*
Hoe heerlijk weeft in deze schrijn
de avondzon haar milde gloed!
Dring in mijn hart, o zoete liefdespijn!
met dauw van hoop al smachtende gevoed.
Hoe ademt deze kleine kamer
rust, orde en tevredenheid!

Nooit zag ik armoede voornamer!
nooit in een kerker zulke heerlijkheid!
*Hij laat zich vallen in het leren fauteuiltje naast het bed.*
O stoel! die generaties op een rij
in lief en leed hebt opgevangen!
Hoe vaak heeft aan die vadertroon vóór mij
een klittenband van kinderen gehangen!
Wie weet heeft *zij* met Kerstmis ooit, verrukt
van haar geschenk, met volle kinderwangen
een kus op opa's dorre hand gedrukt?
O meisjelief, jouw zorgzaamheid
is voelbaar in de kleinste dingen,
alles is orde, helderheid:
het schone kleed, over de tafel heen gespreid,
het zand door jou gestrooid in fijne kringen.
O lieve hand! die goddelijkerwijs
dit hutje maakte tot een paradijs.
En hier!
*Hij tilt het bedgordijn op.*
Ik voel een heerlijk diepe schroom!
Hier zou ik uren willen blijven.
Natuur! de engel die jij schiep in lijve
kreeg hier de vleugels van de droom;
hier slaapt het kind! hier klopt het leven
dat in haar prille borsten gloeit,
haar heilig beeld, hier is 't geweven,
in pure schoonheid opgebloeid!

En jij! Wat is precies je doel?
Hoe bonst mijn hart bij wat ik voel!
Wat wil ik hier? Wat pijnigt mij zozeer?

Faust, arme Faust! Ik ken je al niet meer.

Is 't een betovering die mij omspint?
Je was toch voor genot gekomen,
en schijnt nog slechts in liefde weg te dromen!
Ben ik een veertje, drijvend op de wind?

Stel nu dat ze zo dadelijk voor je stond,
hoe moest je deze inbreuk boeten!
Jij, graag zo groot, ging door de grond,
lag weggesmolten aan haar voeten.

MEFISTOFELES

Schiet op! Ik vrees dat ik haar aan zie komen.

FAUST

Kom! kom! voor altijd weg van haar!

MEFISTOFELES

Hier is een kistje, aardig zwaar,
ik heb het elders weggenomen.
Stop het maar in die klerenkast,
haar mond valt van verbazing open!
Ze wordt straks met iets moois verrast,
daar kon je een vorstin voor kopen;
al is het steeds hetzelfde spel.

FAUST

Zal ik het doen?

MEFISTOFELES

Ik dacht van wel!
Of wou je 't voor jezelf bewaren?
Dan is het zonde van je tijd
en smeek ik Uwe Geiligheid
mij verdere moeite te besparen.

U lijdt toch niet aan gierigheid?
Ik denk me suf, zit me uit te sloven –
*Hij schuift het kistje in het kabinet en draait de sleutel weer om.*
we gaan, schiet op! –
om deze lieve kleine pop
volgens jouw wensen gaar te stoven,
en dan sta jij
er als een soort Professor Oorwurm bij
voor wie de fy- en metafysica
leeft als de dood van Pierlala.
Schiet op! –
*af*

MARGARETE *met een lantaarn*
Het is zo broeierig hier, zo zwoel,
*Ze zet het raam open.*
en toch is het buiten behoorlijk koel.
't Is net als was er iets niet pluis –
kwam moeder nu maar vast naar huis.
Ik sta te trillen als een riet –
wat ben ik toch een flauwe griet!
*Ze begint te zingen terwijl ze zich uitkleedt.*

Er was een koning in Thule,
die had een beker van goud,
hem door zijn lief op haar sterfbed
voor eeuwig toevertrouwd.

Die beker, volgeschonken,
gold als zijn grootste schat,

en als hij eruit had gedronken,
dan werden zijn ogen nat.

En toen hij kwam te sterven,
bezag hij zijn gebied,
schonk alles aan zijn erven,
alleen de beker niet.

Hij zat voor 't laatst aan tafel,
de ridders zaten mee aan,
in een van de grote zalen,
op een klif aan de oceaan.

Daar stond die oude drinker,
dronk laatste levensgloed
en wierp de heilige beker
uit het venster in de vloed.

Hij zag hem vallen, drinken
en vollopen tot hij zonk,
hij voelde zijn oogleden zinken,
dat was zijn laatste dronk.

*Ze opent de kast om er haar kleren in op te bergen en ziet het juwelenkistje.*

Waar komt dat mooie kistje nou vandaan?
'k Had toch de kast op slot gedaan?
Dat is toch niet gewoon! Hoe zou het opengaan?
Misschien kreeg moeder het als pand
en leende iemand geld daarvoor.
Als daar het sleuteltje niet hangt!

Ik maak dat kistje open hoor!
Hemeltjelief! Zit dát erin?
O, dat er zoiets moois bestaat!
Juwelen! goud! daarmee mag een gravin
zich laten zien in vol ornaat.
Benieuwd hoe *mij* die ketting staat!
Van wie zou al dat fraais toch horen?

*Ze tooit zich ermee en gaat voor de spiegel staan.*

Ja, met die hangers in je oren
kijk je er anders tegenaan!
Want fris en mooi, wat helpt dat nou?
Een complimentje krijg je gauw
maar verder wenst men niet te gaan,
men prijst ons half uit medelijden.
Of jong of oud,
elk valt voor goud!
Ach, wie zou ons benijden!

*

## Laan

*Faust in gedachten heen en weer lopend. Dan verschijnt Mefistofeles*

MEFISTOFELES

De dikke bons kan ie krijgen! laat hem in zwavel smoren!
Wist ik iets ergers, kon je ergere vloeken horen!

FAUST

Wat is er aan de hand? Wat zit je dwars?
Nooit zag ik iemand zo gigantisch balen!

MEFISTOFELES

Wat mij betreft, de duivel mocht me halen,
als ik niet zelf een duivel was!

FAUST

Zeg, is er soms iets niet in orde?
Het staat je fraai zo briesend kwaad te worden!

MEFISTOFELES

Met Margaretes bellen, stel je voor,
daar is zo'n zwartrok mee vandoor! –
Een engel, horende dit misdrijf,
zou grif gaan gillen als een viswijf.
Haar moeder kreeg van 't spul in kwestie
spontaan een halve indigestie:
ze rook al lont voor ze het zag,
dat mens bidt vier keer op een dag
en weet van alles wat ze ziet
meteen of 't heilig is of niet;
en bij dat sieraad (zag ze wel)
was niet veel heiligs in het spel.
Mijn kind, riep ze, gestolen goed
beklemt je ziel, vergiftigt je bloed.
Als we het aan Maria wijden
zal die ons met hemelspijs verblijden!
Maar Gretepeet keek niet echt blij,
't is toch een gegeven paard, dacht zij,
nee! het is heus geen zondig man
die zoiets prachtigs brengen kan.
Haar moeder liet een pater komen,
die heeft er nota van genomen
en zag dat spul maar al te graag.
Hij zei: 'Dat is pas christelijk!

Doe afstand en God maakt u rijk.
De Kerk, die heeft een ruime maag,
heeft heel wat landen al verzwolgen,
maar leed nooit onder de gevolgen;
Ja, slechts de Kerk, wil ik u zweren,
kan onrechtmatig goed verteren!'

FAUST

Een koning en een woekeraar
hebben er ook wel oren naar.

MEFISTOFELES

Pakt alles in: snoer, oorbel, ring,
net of 't om een zak knikkers ging,
zegt langs zijn neus weg dankjewel,
zo van: 't is maar een bagatel,
belooft ze hemels loon, allicht!
ze waren allen zeer gesticht.

FAUST

Maar Gretchen dan?

MEFISTOFELES

Weet zich geen raad
en krijgt het met zichzelf te kwaad,
denkt aan juwelen dag en nacht,
vooral aan hem die ze haar bracht.

FAUST

Ik wil niet hebben dat ze lijdt.
Haal een nieuw sieraad voor die meid,
want met het eerste zat je mis!

MEFISTOFELES

O ja, 't is volgens u maar kattenpis!

FAUST

Doe wat ik zeg en haast je, man!

Bewerk haar buurvrouw als je kan.
Wees niet zo godvergeten traag,
zorg voor een sieraad, nog vandaag!

MEFISTOFELES

Gehoorzaam volg ik uw bevelen.

*Faust af*

Wie zo door liefde is verblind
zou zon en maan en sterren stelen
omdat zijn liefje vuurwerk aardig vindt.

*af*

*

## Huis van de buurvrouw

MARTHE

Vergeve God mijn lieve man,
maar 'k word er nou nog akelig van!
Dat loopt me zo maar weg van huis,
laat mij als weduwe hier thuis.
Míj die nooit reden gaf tot klagen,
hem steeds op handen heb gedragen.

*Ze huilt.*

Hij is vast dood! – Wat een verdriet!
– – – – – – – – – – – – – – – – – – – – –
– – – – – – – – – – – – – – – – – – – – –
want het lijkenbriefje heb ik niet!

MARGARETE *komt.*

O buurvrouw Marthe!

MARTHE Gretchen, kind!

MARGARETE
Ik beef weer over al mijn leden,
nu ik nog geen minuut geleden
wéér in mijn kast zo'n kistje vind,
óók met juwelen en nog meer
en mooier dan de eerste keer.

MARTHE
Laat dat je moeder maar niet horen!
Dan gaat het aan de Kerk verloren.

MARGARETE
O kijk toch! Kijk toch! O wat gaaf!

MARTHE *dirkt haar op.*
Meisje, wat bof jij toch vandaag!

MARGARETE
Maar ach, ik durf het niet te wagen
ze op straat of in de kerk te dragen.

MARTHE
Je moet gewoon vaak bij me komen,
zodat je 't stiekem omdoen kan,
hier mag je rustig voor de spiegel staan te dromen;
samen genieten we ervan;
het wachten is op een geschikt moment,
een feest of zo, daar draag je heel decent
een pareltje in 't oor, dan een collier,
moeder vertel je wat, die heeft toch geen idee –

*Er wordt geklopt.*

MARGARETE
Mijn hemel! Is mijn moeder daar?

MARTHE *door het deurraampje spiedend*
Een vreemde man! Ja, binnen maar!

MEFISTOFELES *verschijnt.*
Dames, ik liet u zomaar schrikken,
het spijt me als 't u niet zou schikken.
*Doet bij het zien van Margarete eerbiedig een stapje achteruit.*
Woont hier Frau Marthe Schwerdtlein bijgeval?

MARTHE
Dat ben ik, steekt u maar van wal.

MEFISTOFELES *zacht tegen haar*
Het is al goed, mijn komst was ongepast;
u heeft een adellijke gast;
u moet mijn lompheid excuseren:
ik zal het later weer proberen.

MARTHE *luid*
Kind, denk je toch eens in!
Die man houdt jou voor een gravin.

MARGARETE
Ben maar gewoon een arme meid.
Ach! u verkijkt zich tot mijn spijt:
ketting en ring zijn maar te leen.

MEFISTOFELES
't Zijn niet de sieraden alleen;
haar hele aard, die felle blik!
Ik blijf nog graag een ogenblik.

MARTHE
Wat komt u doen? Ik zou dolgraag –

MEFISTOFELES
Ach, 'k heb slecht nieuws voor u vandaag!
laat er de bode niet voor boeten:
uw man is dood en laat u groeten.

MARTHE
Is dood? die trouwe ziel? O nee!

Mijn man is dood? Ach herejee!

MARGARETE

O buurvrouw, er is vast nog hoop!

MEFISTOFELES

Helaas! Ik schilder het verloop.

MARGARETE

Mij hoeven ze geen man te geven,
ik zou zijn dood niet overleven.

MEFISTOFELES

Waar liefde is, daar wordt ook geleden.

MARTHE

Hoe stierf hij? Omgekomen, ziek?

MEFISTOFELES

In Padua rust hij in vrede!
In Sint-Antonius' basiliek
mocht hij voorgoed de benen strekken.
Er zijn waarachtig mindere plekken!

MARTHE

Brengt u nog tastbare herinneringen?

MEFISTOFELES

Eén wens slechts, die hij stervend sprak:
of u driehonderd keer de mis wilt laten zingen!
Maar verder heb ik niets op zak.

MARTHE

Wat! Geen broche? Geen gouden munt?
Wat elke werkman in zijn buidel heeft gespaard
en als een aandenken bewaart,
al moest hij bedelen of hongerlijden.

MEFISTOFELES

Helaas, het is u niet vergund;
gelukkig wist hij wel zijn kapitaal te spreiden.

En, ach, zijn misstappen berouwde hij ook zeer,
ja, en de kwalijke gevolgen nog veel meer.

MARGARETE

Ach! Wat beleeft een mens een narigheid.
Ik zal wel bidden dat zijn ziel ruste in vrede.

MEFISTOFELES

Je bent een allerliefste meid,
je zou zó in het huwelijk mogen treden.

MARGARETE

Ach nee, daarvoor is 't nog te vroeg.

MEFISTOFELES

Geen man? Een vrijer is ook goed genoeg!
Hemelser kan zich een mens niet warmen
dan door zijn liefje te omarmen.

MARGARETE

Dat doen we hier te lande niet zo snel.

MEFISTOFELES

Doen of niet doen! Je lust het wel.

MARTHE

Vertel nou toch!

MEFISTOFELES

Zijn sterfbed was niet te benijden,
een mesthoop leek het, 't was niet meer
dan een baal rottend stro; toch stierf hij in de Heer,
en vond het nodig al zijn zonden te belijden.
Ik moet mezelf, riep hij, hartgrondig haten,
hoe kon ik zo mijn werk, mijn vrouw verlaten!
Ach! de herinnering maakt me kapot.
Kon ze me maar vergeven in dit leven...

MARTHE *snikkend*

Die goeierd toch! 'k heb hem allang vergeven.

MEFISTOFELES

...maar 't was vooral háár schuld, bij God!

MARTHE

Hij liegt! Bah! Liegen en al bijna wijlen!

MEFISTOFELES

Hij was beslist al danig aan het ijlen,
in mijn opinie was 't de koorts.
Denk niet, zei hij, dat ik ooit kon staan dromen,
er moesten kinderen en brood op tafel komen,
brood in de ruimste zin des woords,
ik kon niet eens mijn eigen deel in vrede eten.

MARTHE

Hoe kon hij zó mijn liefde, zó mijn trouw vergeten,
al mijn geploeter, dag en nacht!

MEFISTOFELES

O nee, juist daaraan heeft hij intensief gedacht.
Hij zei: 'Toen ik uit Malta wegging
bad ik hartstochtelijk voor vrouw en kind,
en ja, de hemel was ons welgezind
omdat ons schip een Turkse kaper ving
die Sultans grote schat aan boord had;
moed werd beloond met rijke buit
en men betaalde mij (want voor wat hoort wat!)
ook mijn rechtmatig aandeel uit.'

MARTHE

Wablief? Aha! Heeft hij dat soms begraven?

MEFISTOFELES

Door de vier winden, vrees ik, weggeblazen!
Toen hij eenzaam langs Napels' haven zwierf
deed hem een schone jongedame open
die hem teder beminde! Tot hij stierf

heeft hij met de gevolgen rondgelopen.

MARTHE

De schoft! Dief van zijn eigen kinderen!
Dus al zijn droefheid, al zijn nood
kon niet zijn liederlijkheid verhinderen!

MEFISTOFELES

Ja! daarom is hij nu ook dood!
Ik ging in uw geval, mevrouwtje,
rustig een jaartje in de rouw
en keek vast naar een ander hartig boutje.

MARTHE

Ach god! Waar vind ik die zo gauw?
Geen beter mens dan hij op deze aarde!
Er is maar één zo'n dotje van een man!
Het was alleen dat hij niet goed kon aarden,
en vrouwtjes, wijn, daar hield hij van,
en van 't vervloekte pokerspel.

MEFISTOFELES

Er viel kortom best mee te leven
als hij van zijn kant even snel
uw zwakke punten kon vergeven.
Ik zweer u: onder dat beding
wissel zelfs ik met u de ring.

MARTHE

Als dat geen grapje wezen mag!

MEFISTOFELES *in zichzelf*

Snel weg uit dit gevaarlijk oord!
Die houdt nog zelfs de duivel aan zijn woord!

*tegen Margarete*

En is je hartje nog van slag?

MARGARETE
Ik snap u niet.

MEFISTOFELES *in zichzelf*
Zo'n goed en argeloos meisje toch!

*hardop*
Dames, tot ziens!

MARTHE O, het bewijsje nog!
van dat mijn man is overleden en begraven,
mag ik u dat nog even vragen?
Want orde, ja, daar hecht ik aan,
ik zie hem graag dood in het krantje staan.

MEFISTOFELES
Ja, beste vrouw, dat is zeer toe te juichen
maar weet wel: één getuige, geen getuige!
Ik heb een vriend die ik zeer kan waarderen
die het wel voor de rechter wil bezweren.
Die breng ik mee.

MARTHE O alsjeblief!

MEFISTOFELES
Zien we dan ook dit meisjelief? –
Een prima vent en zeer bereisd,
die dames alle eer bewijst!

MARGARETE
Bij zulke heren schaam ik me dood!

MEFISTOFELES
Geen koning, kind, is jou te groot!

MARTHE
Hier in mijn tuin, zo tegen achten,
staan wij u samen op te wachten.

*allen af*

*

[Straat]

*Faust, Mefistofeles*

FAUST
En? Lukt het? Komt er nog wat van?
MEFISTOFELES
Bravo! is 't vuur niet meer te blussen?
Vanavond zal je Gretchen kussen.
Ze zal in buurvrouw Marthes tuin zijn, volgens plan.
Ja, met die buurvrouw is het boffen:
als koppelaarster echt onovertroffen.
FAUST
Dat komt goed uit!
MEFISTOFELES
Maar 't ging met een verzoek gepaard,
de ene dienst is de andere waard.
Ze wil van ons rechtsgeldige bewijzen
dat haar man zaliger onder een zerk
de benen strekt in Padua's heilige kerk.
FAUST
Slim van je! Dus we moeten eerst naar Padua reizen!
MEFISTOFELES
*Sancta simplicitas!* daar is geen sprake van.
Getuig maar tegen beter weten.
FAUST
Als dat je plan is, kun je het meteen vergeten.
MEFISTOFELES
Daar sta je nu, goedheiligman!

Of dacht je soms dat jou het leven
eeuwig patent op waarheid geeft?
Moest jij van God, de wereld en van wat er leeft,
de mens, en wat hij denkt, en waar zijn hart naar streeft,
niet steeds opnieuw luidruchtig definities geven?
Toch wist je daarvan even weinig af
als van die meneer Schwerdtlein in zijn graf!

FAUST

Nog altijd leugenachtig en sofistisch!

MEFISTOFELES

Ik zie de dingen juist erg realistisch:
je zult straks geen seconde talmen
dat arme meisje in te palmen
door haar je liefde voor te galmen.

FAUST

Met hart en ziel, ja!

MEFISTOFELES

Voor mijn part!
Dat wordt dus eeuwig trouw beloven,
vast aan de 'macht der liefde' geloven –
en dat komt rechtstreeks uit het hart?

FAUST

Dat komt het, ja! Als ik vol zalig beven
mijn hart in vuur en vlam voel staan,
vergeefs er namen aan wil geven,
straks dronken van geluk loop te genieten
en nuchtere taal tekort zou schieten,
noem ik die gloed, zo fel en krachtig,
eeuwig – eeuwig en overmachtig,
wat is daar duivelachtig aan?

MEFISTOFELES
'k Heb toch gelijk!

FAUST Eén ding, meneer!
en laat me er dan verder over zwijgen:
wie per se zijn gelijk wil halen, mag het krijgen,
aan jou de eer!
Vooruit, al dat gezwets werkt op mijn gal;
je hebt gelijk omdat ik moet en zal.

*

## Tuin

*Margarete aan de arm van Faust, Marthe met Mefistofeles op en neer wandelend*

MARGARETE
Ik voel best dat u meelij met me heeft,
u wilt me niet te zeer blameren.
Want wie veel reist, is zo beleefd
wat men hem biedt te accepteren;
ik snap heus wel dat zo'n ervaren man
met mijn gebabbel niets beginnen kan.

FAUST
Eén blik van jou, één woord zegt meer
dan duizend boeken in een keer.
*Hij kust haar hand.*

MARGARETE
Nee, laat u nou! U moet me toch geen handkus geven.
Mijn hand is vreselijk ruw en stug.
't Was werken, werken, werken in mijn leven!

En moeder klaagt ook steeds zo vlug.

*Ze lopen door.*

MARTHE

Bevalt dat wel, zoveel op reis te zijn?

MEFISTOFELES

Ach ja, een werkend man heeft zo zijn plichten!
En nooit is er een afscheid zonder pijn,
maar ja, men moet het anker lichten.

MARTHE

Is men nog jong en sterk, ja dán
wil men de wereldzeeën wel bevaren;
helaas: de tijd breekt het elan,
en om als vrijgezel eenzaam naar 't graf te staren,
daar wordt een mens niet vrolijk van.

MEFISTOFELES

Ik sidder al bij de gedachte.

MARTHE

't Is beter er niet lijdzaam op te wachten.

*Ze lopen door.*

MARGARETE

Uit het oog, uit het hart, helaas!
U zegt dan wel vleiende dingen,
maar al die vrienden uit uw kringen
zijn qua verstand mij ver de baas.

FAUST

Geloof me, kind, verstand deugt dikwijls voor geen cent,
is vaak maar ijdeltuiterij.

MARGARETE Ach, kom!

FAUST

O heilige eenvoud, onschuld! zeg waarom
je zó je eigen deugd miskent!

Dat juist de kostbaarste geschenken
waar de natuur ons mee verguldt...

MARGARETE

'k Hoop dat u éven aan mij denken zult,
ik heb straks tijd genoeg aan u te denken.

FAUST

Je zit hier vaak alleen te zijn?

MARGARETE

Ja, onze huishouding is klein,
maar 't huis moet toch op orde zijn.
En alles zonder hulp: ik brei, ik moet borduren,
ik kook en veeg van vroeg tot laat,
en moeder is een heel secure
als 't daarom gaat.
Niet dat wij 't erom hoeven te laten,
ze heeft zelfs meer dan anderen omdat
vader haar aardig wat heeft nagelaten:
een huisje met wat groen, buiten de stad.
Maar nu zijn het toch tamelijk stille dagen.
Mijn broer, die is soldaat,
mijn zusje, die is dood,
dat was een zware taak, zo'n kleine huisgenoot,
maar 'k zou het zo weer overdoen, zonder te klagen,
zo lief had ik dat kind.

FAUST Een engel, net als jij.

MARGARETE

Ik bracht het groot, ze hield van mij.
't Werd kort na vaders dood geboren,
we waanden moeder al verloren,
zoals ze daar in 't kraambed lag,
en haar herstel nam vele weken in beslag.

En omdat zij nooit van haar leven,
dat wurmpje zelf de borst kon geven,
heb ik het met de fles gevoed,
en in mijn eentje opgevoed;
en op mijn arm, bij mij op schoot,
werd het al vrolijk trappelend groot.

FAUST

Dat heb je vast als diep geluk ervaren.

MARGARETE

Ja, maar die tijd was wel een zware.
Het wiegje van die arme stakker
stond naast mijn bed; ze hoefde maar te kikken
of ik was wakker;
nam haar in bed, gaf haar de fles, en bleef ze snikken
sliep ik natuurlijk ook niet meer,
liep eindeloos met haar de kamer op en neer;
en 's ochtends vroeg dan stond de was er weer;
dan naar de markt en voor de kachel zorgen,
ga zo maar door; dat steeds weer elke morgen.
Meneer, daarbij verlies je soms de moed.
Maar eten, slapen smaakte extra zoet.

*Ze lopen door.*

MARTHE

Eerlijk, meneer, heeft u nog niets gevonden?
Heeft zich uw hart aan niemand nog gebonden?

MEFISTOFELES

Een eigen vrouw, een eigen haard
zijn goud en parelsnoeren waard.

MARTHE

Maar heeft u nooit de lust bekropen...

MEFISTOFELES
Waar ik ook kwam gingen de deuren voor mij open.
MARTHE
Wat ik bedoel: heeft u nooit ernstig overwogen...
MEFISTOFELES
Een ernstig man heeft nooit een vrouw bedrogen.
MARTHE
Ach, u begrijpt me niet!
MEFISTOFELES Dat spijt me nou.
Maar ik begrijp... uw goede wil, mevrouw.
*Ze lopen door.*
FAUST
'k Was bang dat je mij niet herkende
toen ik zojuist de tuin in kwam.
MARGARETE
Zag u dan niet hoe ik mijn blik afwendde?
FAUST
'k Hoop dat je 't mij niet kwalijk nam
dat ik je zo heb durven te bestoken
toen ik je voor de kerk heb aangesproken.
MARGARETE
'k Stond paf, zoiets was me nog nooit gebeurd.
Ik sta bekend als iemand van fatsoen.
Ik dacht: misschien heeft hij in mijn manier van doen
iets té uitdagends, té frivools bespeurd.
Zo'n meisje, hoorde ik hem denken,
bedient me vast op al mijn wenken.
En toch, God weet waarom of hoe,
bleef ik niet onverschillig bij uw woorden,
maar ik was boos (dat geef ik toe)
dat ik op u niet bozer was geworden.

FAUST

Jij, schat!

MARGARETE

Nee, laat me maar!

*Ze plukt een bloempje en begint één voor één de blaadjes er af te plukken.*

FAUST Wat wordt dat, een boeket?

MARGARETE

Gewoon een spelletje.

FAUST Zeg op!

MARGARETE U lacht me uit.

*Ze plukt al mompelend de bloemblaadjes af.*

FAUST

Wat praat je daar?

MARGARETE *halfluid*

Hij houdt van mij, houdt niet van mij,

FAUST

Stralende engel, jij!

MARGARETE

houdt wel, houdt niet, houdt wel, niet,

*Houdt het laatste blaadje in haar hand, helemaal blij.*

houdt wél van mij.

FAUST

Ja, kind, beschouw dit bloemenwoord
als hemels teken: ja, hij houdt van jou!
Besef je het ook goed: hij houdt van jou.

*Hij pakt haar handen.*

MARGARETE

Het grijpt me aan!

FAUST

O huiver niet! laat deze blik,

laat deze handdruk je vertellen
waarvoor geen woorden zijn:
jezelf te geven, onvoorwaardelijk,
en eeuwig deze zaligheid te voelen!
Eeuwig! – Het einde zou mijn dood zijn.
Nee, geen einde! Geen einde!

*Margarete drukt hem de handen, maakt zich los en loopt weg.*
*Hij staat een ogenblik in gedachten, dan volgt hij haar.*

MARTHE

Het schemert al.

MEFISTOFELES

Ja, het wordt onze tijd.

MARTHE

Ik liet u graag nog even binnen,
alleen het is hier haat en nijd.
De mensen hier, ze kunnen niets verzinnen
dan eindeloos te turen
naar 't doen en laten van hun buren.
Je gaat over de tong of je 't verdient of niet.
En ons paartje?

MEFISTOFELES

Zo te zien zijn ze gevlogen.
Dat speelse vlinderspul!

MARTHE Zij schijnt hem erg te mogen.

MEFISTOFELES

En hij haar ook. Weer eens het oude lied.

*

## Een tuinhuisje

*Margarete met kloppend hart naar binnen, verstopt zich achter de deur, legt een vinger op de lippen en kijkt door een kier.*

MARGARETE
Hij komt!
FAUST
Hé plaaggeest, kom eens gauw!
Ha, beet!
*Hij kust haar.*
MARGARETE *omarmt hem, zijn kus beantwoordend.*
Lieverd, ik houd toch al zo lang van jou!
*Mefistofeles klopt aan.*
FAUST *stampvoetend*
Wie daar?
MEFISTOFELES
Goed volk!
FAUST Jij beest!
MEFISTOFELES Tijd dat de wegen scheiden.
MARTHE
Ja, 't is al laat, meneer.
FAUST Mag ik u niet begeleiden?
MARGARETE
Mijn moeder zou me! Dag!
FAUST Sta ik weer in de kou?
Tot ziens!
MARTHE
Tot kijk!
MARGARETE
Dag, en tot gauw!

*Faust en Mefistofeles af*

MARGARETE

Ach, lieve hemel! Wat zo'n man
niet allemaal bedenken kan!
Ik bibber als ik voor hem sta
en zeg op alle dingen ja.
Ben toch een arm, onschuldig kind,
snap echt niet wat hij aan me vindt.

*af*

*

## Gretchens kamertje

*Gretchen aan het spinnewiel, alleen*

Mijn rust is kwijt,
mijn hart doet pijn,
het zal nu nooit meer
als vroeger zijn.

Waar híj niet is
vind ik droefenis;
ik zie anders niet
dan mijn verdriet.

Mijn arme hoofd
bromt als een tol;
mijn arme hersens
draaien dol.

Mijn rust is kwijt,
mijn hart doet pijn,
het zal nu nooit meer
als vroeger zijn.

Ik kijk uit het raam
of híj er soms staat;
om hém te zoeken
loop ik op straat.

Zijn zwierige gang,
zijn knap postuur,
zijn speelse glimlach,
zijn blik vol vuur,

zijn hemelse woorden,
zijn dwingende stem,
zijn handdruk en ach!
die kus van hem!

Mijn rust is kwijt,
mijn hart doet pijn,
het zal nu nooit meer
als vroeger zijn.

Mijn schoot, o god,
is vuur en vlam,
ach, dat ik hem zó
in mijn armen nam,

en hem kuste en drukte
dicht tegen mij aan,
om in die kussen
voorgoed te vergaan.

*

## Martha's tuin

*Margarete, Faust*

GRETCHEN
Beloof me, Heinrich...

FAUST
Nou, wat dan?

GRETCHEN
Zeg eerlijk: wat is geloof voor jou?
Je bent zo'n beste brave man,
maar ik vrees, je neemt het daarmee niet zo nauw.

FAUST
Stil, schat! je weet: mijn liefde is oprecht,
voor wie ik liefheb sterf ik in 't gevecht,
ik wil geen mens zijn zielsrust of zijn Kerk ontroven.

GRETCHEN
Dat is het niet, je moet er ook in geloven!

FAUST
Je moet?

GRETCHEN
Ach, kon ik je maar overtuigen,
zelfs voor de sacramenten wil je niet buigen.

FAUST
Ik respecteer ze.

GRETCHEN Maar het is een zegen!
Bij de mis, de biecht kom ik je ook al niet meer tegen.
Geloof je in God?

FAUST Liefje, wie durft te zeggen:
ik geloof in God!?
Als je 't een priester voor zou leggen
of wijsgeer kon je hooguit spot
verwachten op zo'n vraag.

GRETCHEN Dus geloof je niet.

FAUST
Lief snoetje, dat je dat zo simpel ziet!
Wie mag hem noemen
en wie oreren:
ik geloof in hem?
Wie mag zich roemen,
wie boud beweren:
ik geloof niet in hem?
De alom-aanwezige,
alles-doen-levende,
leeft hij in jou niet
in mij, in zichzelf?
Welft zich de hemelkoepel niet hierboven?
Biedt ons de aarde geen houvast?
Rijzen met vriendelijke blik
de eeuwige sterren niet ten hemel?
Staan jij en ik niet oog in oog,
en voel jij niet hoe alles
hoofd en hart doordringt
en als een eindeloos mysterie
onzichtbaar-zichtbaar is verweven?
Open daarvoor je hart, open het wijd,

en als je opgaat in die zaligheid,
noem het dan hoe je wilt,
noem het: geluk! hart! liefde! God!
Ik weet geen naam
daarvoor. Gevoel is alles,
namen zijn ruis en rook,
een wasem voor de gloed.

GRETCHEN

Dat alles klinkt misschien wel goed,
en in de catechismus vind je ook
wel hier en daar van dat soort dingen.

FAUST

Van Trier tot Emmendingen,
waar je maar komt, wordt dit bezongen
in alle talen en tongen;
mag ik het zó dan zeggen?

GRETCHEN

Ik kan het niet meteen weerleggen,
maar 't is daarom niet minder krom:
want jij hebt geen christendom.

FAUST

Lief kindje!

GRETCHEN

Wat me allang kwelt
is dat die man jou steeds vergezelt.

FAUST

Hoezo dan?

GRETCHEN

Zie ik hem met jou op straat,
voel ik een bodemloze haat.
Niets heeft mij in mijn leven

ooit zo'n steek in 't hart gegeven:
zijn blik is een en al venijn.

FAUST

Meisje, je hoeft niet bang te zijn.

GRETCHEN

Net of er zich iets omdraait in mijn maag,
ik mag toch alle mensen graag,
als jij komt, ben ik altijd even blij,
maar krijg de bibbers met hem erbij,
er is met die kerel gewoon iets mis!
God mag me vergeven, als 'k me vergis.

FAUST

Je hebt nou eenmaal van dat soort figuren.

GRETCHEN

Als ik ze maar niet krijg als buren!
Telkens als hij hier binnenkomt,
kijkt hij zo spottend in het rond,
al bijna kwaad;
je ziet echt dat hem niets ter harte gaat.
Het staat gewoon op zijn voorhoofd geschreven
dat hij nooit om een mens kan geven.
Ik voel me zo heerlijk in jouw arm,
zo onbezorgd, zo innig warm,
maar ik verstijf met hem erbij.

FAUST

O helderziende engel, jij!

GRETCHEN

Dan overmant me een ijzige kou;
't is of ik, met hém in ons midden,
dan plotseling niet meer van je hou.
En als híj er is, kan ik ook niet meer bidden.

Dat vreet aan mij, dat grijpt me aan,
jou, Heinrich, moet het ook zo gaan.

FAUST

Het is gewoon dat je hem haat.

GRETCHEN

Ik moet naar huis.

FAUST Ach, weer zo laat?

Dient zich dan nooit een schemeruurtje aan
om echt met hart en ziel in elkaar op te gaan?

GRETCHEN

Ach, als ik nou alleen hier sliep,
liet ik vannacht de grendel open;
maar moeder slaapt helaas niet diep
en als ze 't zag ('t is niet te hopen!)
dan viel ik dood neer op de grond!

FAUST

O engel! kijk wat ik laatst vond:
dit flesje! Maak haar wat te drinken,
hooguit drie druppels, en algauw
zul je haar in een diepe slaap zien zinken!

GRETCHEN

Wat ik niet alles doe voor jou!
Het zal haar hopelijk niet schaden?

FAUST

Schatje! had ik het durven aan te raden?

GRETCHEN

Jij, lieve man, ik kijk je aan
en doe je zin; maar wat me drijft
dat weet ik niet; 'k heb al zoveel gedaan
voor jou dat er haast niets meer overblijft.

*af*

*Mefistofeles verschijnt.*

MEFISTOFELES
Zo'n popje! Is ze weg?
FAUST Alweer gespioneerd?
MEFISTOFELES
Altijd verzot op informatie!
Herr Doktor werd zojuist geëxamineerd?
Nog wat geleerd van uw catechisatie?
Iets wat die Mädels toch zeer interesseert
is of men braaf al zijn gebedjes doet:
zo iemand (denken ze) volgt strakjes op de voet.
FAUST
Jij monster bent natuurlijk blind
wanneer dit trouwe, lieve wezen
dat ziel en zaligheid
gewaarborgd vindt
in haar geloof, moet vrezen
voor 't zielenheil van hem wie zij is toegewijd.
MEFISTOFELES
Jij bovenzinnelijke meidengek,
dat troelaatje zet jou voor paal.
FAUST
Jij misgeboorte uit vuur en drek!
MEFISTOFELES
En in karakter lezen is ze optimaal.
Ze voelt van alles bij mijn fysionomie,
toch brengt mijn masker haar niet van de wijs
en ze herkent in mij heel zeker het genie
of zelfs de duivel, mogelijkerwijs.
Wordt dit de nacht...?

FAUST Is dat jouw zaak?

MEFISTOFELES

Het schenkt de duivel veel vermaak.

*

Bij de stadsbron

*Gretchen en Lieschen met waterkruiken*

LIESCHEN

Zeg weet je 't al van Barbara?

GRETCHEN

'k Weet niks. Ik spreek de mensen hier zo zelden.

LIESCHEN

Nou wat Sybil me toch vertelde!
Die opgedirkte troelala
rook eindelijk haar kans!

GRETCHEN Hoezo?

LIESCHEN Maar 't stinkt!

Ze mest er voortaan twee als ze eet en drinkt.

GRETCHEN

Ach!

LIESCHEN

Verdiende loon, door schade en schande.
Was immers van die vent niet weg te branden!
Dat was me een sjansen,
een ga-je-met-me-dansen,
stond altijd vooraan in de rij,
altijd pasteitjes, wijn, dat soort verwennerij;
verbeeldt zich mooier te zijn dan wij,

was eerloos genoeg zich niet te schamen
voor alles wat ze van hem aannam,
daar werd wat afgelikt en afgevrijd;
nu is ze mooi haar roosje kwijt!

GRETCHEN

Dat arme ding!

LIESCHEN

Heb alsjeblieft geen medelij!
Wij elke dag die spinnerij,
met 's avonds huisarrest bij moe,
en zij mooi naar haar lieverd toe!
Op 't bankje of in de donkere gang,
dáár duurde haar geen uur te lang.
Nu mag ze met haar boethemd aan
heel nederig naar de kerk toe gaan.

GRETCHEN

Hij neemt haar vast en zeker tot vrouw.

LIESCHEN

Hij is daar gek! Zo'n knaap als hij
houdt liever beide handen vrij.
Die is al weg.

GRETCHEN

Dat is gemeen!

LIESCHEN

Krijgt ze 'm alsnog, merkt ze 't meteen:
de jeugd rukt haar de krans van de kop,
wij hangen aan haar deur wat distels op!

*af*

GRETCHEN *op weg naar huis*

Wat had ik vroeger harde woorden
als ik van zo'n arm schepsel hoorde!

Hoe ik over andermans gebreken
nooit snel genoeg de staf kon breken!
Hoe zondig vond ik toen zo'n meid:
het toppunt van verdorvenheid,
en ik zat veilig op de troon,
nu vang ikzelf mijn zondeloon.
Maar alles wat me ertoe bracht,
God! was zo goed, ach! was zo zacht!

*

## Stadsmuur

*In een nis van de muur een heiligenbeeld van de Mater dolorosa, ervoor een paar bloemenvazen*

GRETCHEN *spoelt de vazen om in de nabije stadsbron en schikt er de bloemen in die ze heeft meegebracht.*

Ach reik me,
o smartelijke,
uw hand en aanschouw mijn nood!

Hart dat gemoord werd,
met zwaarden doorboord werd,
ziende uw zoon, aan 't kruis gedood!
Met blikken zoekt u,
met snikken roept u
de Vader, in zijn en uw nood.

Wie voelt er,
wat woelt er
aan pijn door mij heen?
Wat mijn arme hart doet rillen,
wat het pijnigt, wat laat trillen
weet slechts u, slechts u alleen!

Ik voel in mij de pijnen
die schrijnen, schrijnen, schrijnen,
en vluchten kan ik niet!
en wil ik mij verschuilen,
ga 'k huilen, huilen, huilen,
mijn hart breekt van verdriet.

Vanochtend vroeg voor 't venster
plukte ik bloemen voor jou.
Ach, dat ze nu zo nat zijn,
dat is niet van de dauw!

Scheen 's ochtends in mijn kamer
de heldere zonneschijn,
was ik al uren wakker
van louter treurig zijn.

Help! bewaar mij voor schande en dood!
Ach reik me,
o smartelijke,
genadig uw hand in mijn nood!

*

## Kathedraal

*Uitvaart van Gretchens moeder*

*Gretchen, al haar verwanten. Dienst, orgel en gezang*

BOZE GEEST *achter Gretchen*
Hoe anders, Gretchen, was je leventje
toen jij, een en al onschuld nog,
hier voor het altaar trad,
uit een beduimeld boekje
gebeden prevelde,
half kinderspel,
half God in je hart!
Gretchen!
Wat gaat er door je hoofd?
Je hart
een moordkuil?
Bid jij hier voor je moeders ziel, nu zij
door jóú ontslapen is, gedoemd tot helse pijn?
– En daar onder je hart,
klopt, zwellend, daar jouw schandmerk niet?
iets bangs dat jou nog banger maakt
nu het steeds dichterbij komt?

GRETCHEN
Het doet zo'n pijn!
Was ik maar de gedachten kwijt
die onophoudelijk in mijn hoofd rondspoken
als een straf!

KOOR

*Dies irae, dies illa*
*Solvet saeclum in favilla.*

*Orgeltoon*

BOZE GEEST

Wraak slaat je!
De bazuin schalt!
De graven beven!
En je hart,
uit doodse as
weer opgewekt
voor 't hellevuur,
besterft het!

GRETCHEN

Ik wil hier weg!
't Is net alsof het orgel
mijn adem afsneed
en mijn hart bij 't zingen
tot stof verging.

KOOR

*Judex ergo cum sedebit*
*Quidquid latet adparebit,*
*Nil inultum remanebit.*

GRETCHEN

Ik stik bijna!
Muren en zuilen
beklemmen mij!
Het gewelf
drukt zwaar! – Lucht!

BOZE GEEST

Duik weg!

Verberg maar
je zonde en schande!
Lucht? Licht?
Vergeet het!

KOOR
*Quid sum miser tunc dicturus?*
*Quem patronum rogaturus?*
*Cum vix justus sit securus.*

BOZE GEEST
Zaligen wenden
hun blik van je af.
Jou de hand te reiken
is de reinen
een gruwel,
wee!

KOOR
*Quid sum miser tunc dicturus?*

GRETCHEN
Buurvrouw! uw flesje!...
*Ze valt flauw.*

*

## Nacht

*Voor Gretchens huis*

VALENTIN *soldaat, Gretchens broer*
Zaten we vroeger in de kroeg
(waar menigeen zich stoer gedroeg)
schreeuwden zich al mijn maatjes hees

als elk zijn meisje zalig prees,
daar bleef dan ook geen keel bij droog,
maar leunend op mijn elleboog
zat ik erbij, onaangedaan,
trok mij van dat gebral niets aan,
en streek eens fijntjes door mijn baard
en nam het volle glas in de hand,
zeggende: alles naar zijn aard!
maar wedden dat je in dit land
geen meid zoals mijn zusje vindt,
naast Gretl is de rest maar wind!
Top! top! rink! kink! klinkt het alom.
Eén roept: dat was geen woord te veel,
dat meisje is een kroonjuweel!
En al die bluffers bleven stom.
En nu! ('t is om je alle dagen
een kogel door de kop te jagen!)
mag elke schurk mij krenken, smalen,
mag straffeloos zijn neus ophalen!
Als iemand met een gat vol schulden
moet ik hun speldenprikken dulden!
En zelfs als ik ze af zou drogen,
kon ik niet zeggen: 't is gelogen.

*Faust, Mefistofeles*

FAUST

Kijk! hoe in 't kerkglas daar het eeuwige licht
zweeft, en hoe zwak rond dat geflakker
de lichtkrans straalt, aldoor maar zwakker,
totdat hij voor het donker zwicht!

Alsof het in mezelf ook nacht wordt.

MEFISTOFELES

*Ik* voel me als een kater die verwacht wordt!
die krols over de ladder tript
en langs de muur de hoek om glipt
op weg naar deugdelijk vertier:
wat slinks geritsel, wat gekier,
kortom ik voel de sappen stromen.
Schiet op! Ben je soms levensmoe?
Moet je zó naar je liefje toe,
als naar je eigen graf?

FAUST

Wat helpt het? die extase in haar armen,
dat aldoordringend zich verwarmen,
doet het iets aan de zielsnood af?
Ben ik de vluchteling niet, de onbehuisde,
de boosdoener, de blinde dolleman
die als een stortbeek naar de afgrond suisde,
wiens wilde drift geen rotsblok stuiten kan?
En dan daarnaast, kinderlijk-onbedorven,
in 't hutje op de kleine alpenwei,
veilig in 't wereldje geborgen
van haar beslommeringen: zij.
En ik, die tot Gods schande
het ongehoorde deed
en met mijn beide handen
de rots aan stukken smeet!
O vredig leven dat ik moest ontwrichten!
Hel, die zijn oogmerk juist op haar moest richten!
Duivel, help mij mijn martelgang bekorten,
maak nú een eind aan dit bestaan!

Als je haar wereld in wilt laten storten,
laat haar met mij te gronde gaan.

MEFISTOFELES

Kijk aan, de vlam slaat weer eens in de pan!
Ga haar dan troosten, idioot!
Als 't meissie even niet meer verder kan,
tekent meneer al voor de dood.

*

[Sombere dag, veld]

*Faust, Mefistofeles*

FAUST

In doffe ellende! Aan wanhoop ten prooi! Eén lange, jammerlijke dooltocht hier op aarde. Als een misdadigster achter slot en grendel, blootgesteld aan de verschrikkelijkste folteringen, dat lieve, ongelukkige kind! Zover is het dus gekomen! – Jij valse, nietswaardige geest, en dat heb je voor mij verborgen gehouden! Wat sta je daar zo woedend! Ja, rol maar even met je duivelse ogen! Kwel me nog maar even met je onverdraaglijke aanwezigheid! Gevangen! In uitzichtloze ellende prijsgegeven aan boze geesten en een o zo rechtvaardige mensheid zonder een greintje gevoel! En mij wieg je ondertussen in slaap met smakeloze pleziertjes, verzwijgt mij haar stijgende nood en laat haar hulpeloos te gronde gaan!

MEFISTOFELES

Ze is de eerste niet!

FAUST

Hond! Weerzinwekkend monster! – Verander hem, eeuwige

Geest! Geef die worm zijn hondengedaante terug zoals hijzelf 's nachts zo graag voor me uit trippelde, de nietsvermoedende wandelaar voor de voeten liep, hem liet struikelen en op de rug sprong. Geef hem zijn lievelingsvorm weer, laat hem kruipen op zijn buik door het zand zodat ik hem vertrappen kan in zijn verworpenheid! De eerste niet! – O diepe, diepe ellende! Niet te bevatten, voor geen enkele menselijke ziel: dat meer dan één mens in deze afgronddiepe ellende moest verzinken, dat niet de eerste die hier in doodsnood lag te kronkelen voor de ogen van de Eeuwige de schuld van alle lateren bij voorbaat heeft gedelgd! Ik word verscheurd vanbinnen bij het leed van deze ene, jij grijnst doodgemoedereerd om het lot van duizenden.

MEFISTOFELES

Gaan we stoer doen? Je bent alweer aan het eind van je gezond verstand, het plekje waar de heren over de rooie gaan. Waarom vraag je ons als partner als je met ons geen zaken wenst te doen? Willen vliegen met een duizelige kop? Hé, dringen wij ons aan jou op of jij je aan ons?

FAUST

Blikker niet zo bloeddorstig met je tanden! Ik walg van je! – Grote, machtige Geest, jij die je aan mij hebt geopenbaard en die mij kent in hart en ziel, waarom moest je mij aan deze schandelijke metgezel ketenen, die zich verkneukelt wanneer iemand schade lijdt en zich verlekkert aan zijn ondergang?

MEFISTOFELES

Uitgeraasd?

FAUST

Red haar! of wee je gebeente! Anders vervloekt, vervloekt tot in alle eeuwigheid! Red haar!

MEFISTOFELES

Het zwaard van de wet dient te worden gehoorzaamd; ik mag

niet aan die grendels gaan morrelen. – Red haar, kom nou! – Wie heeft haar eigenlijk in het verderf gestort? Jij of ik?

*Faust kijkt wild om zich heen.*

MEFISTOFELES

Een paar bliksems op me af slingeren, nietwaar? 't Is maar goed dat jullie armzalige stervelingen niet met dat voorrecht zijn gezegend! Het beproefde kunstje als je er zelf niet meer uitkomt: willen vernietigen wie in zijn onschuld iets zegt wat meneer niet lust.

FAUST

Breng me naar haar toe! Ze moet vrij!

MEFISTOFELES

En het gevaar waar jij je aan blootstelt? Weet goed dat op de stad de bloedschuld rust, door jouw toedoen. Dat boven de plek waar de moord is gepleegd wrekende geesten zweven en wachten op de terugkeer van de moordenaar.

FAUST

En dat uit jouw mond! Een wereld van moord en doodslag wens ik je toe, monster! Breng me naar haar toe, zeg ik je, en zorg dat ze vrijkomt!

MEFISTOFELES

Ik breng je en luister wat ik kan doen! Heb ik alle macht in de hemel en op aarde? Ik zal zorgen dat de bewaker slaapt, jij pakt zijn sleutels af en haalt haar uit de cel, dat is mensenwerk. Ik houd de wacht en sta klaar met mijn toverpaarden. Meer ligt niet in mijn macht.

FAUST

Snel, eropaf!

*

## Nacht, open veld

*Faust, Mefistofeles op zwarte paarden voorbij stuivend*

FAUST
Wat weven die daar op het ravensteen?

MEFISTOFELES
Geen idee wat ze koken of brouwen.

FAUST
Zweven af, zweven aan, bukken zich, buigen zich.

MEFISTOFELES
Een heksenkrans!

FAUST
Ze strooien en wijden!

MEFISTOFELES
Verder! Verder!

*

## Kerker

FAUST *met een bos sleutels en een lamp voor een ijzeren deurtje*
Waar ooit zoiets deerniswekkends gezien! Diepste menselijke ellende. Hier! Hier! – Open jij! – Je getreuzel bespoedigt haar dood.

*Hij grijpt naar het hangslot. Binnen wordt gezongen.*

Mijn moeder, de hoer,
die mij heeft geslacht!
Mijn vader, de schelm,
die mij at vannacht!
Mijn zusje dat droef

de botjes begroef
onder 't koele mos;
toen werd ik een vogeltje in het bos;
vlieg weg, vlieg weg!

*Faust siddert, wankelt, vermant zich en opent de celdeur. Hij hoort de ketens rinkelen en het stro ritselen.*

MARGARETE *zich op haar strozak verbergend*

Wee! Wee! Ze komen. Bittere dood!

FAUST *zachtjes*

Stil! Ik kom je bevrijden. *Hij pakt haar boeien om ze open te maken.*

MARGARETE *zich verwerend*

Ga weg! Om middernacht! Beul, is morgenochtend je niet vroeg genoeg?

FAUST

Hou op!

MARGARETE *kronkelt aan zijn voeten.*

Heb meelij met me en laat me leven! Ik ben nog zo jong, zo jong, en was knap en ben een arm jong meisje. Kijk hier die bloemen eens, kijk hier dat kransje. Heb toch medelijden! Wat heb ik je gedaan? Ik heb je toch van mijn levensdagen niet gezien.

FAUST

Ze draait door en ik sta machteloos.

MARGARETE

Kijk toch dat kind eens! Ik moet het toch voeden. Het lag hier net nog aan mijn borst! Hier! Ik heb het zojuist gevoed! Ze hebben het me afgepakt en zeggen dat *ik* het heb omgebracht en zingen liedjes op mij! – Er is niets van waar – het is een sprookje dat zo eindigt, wat ze zingen heeft met mij niets te maken.

FAUST *die zich aan haar voeten werpt*

Gretchen!

MARGARETE *opeens rechtovereind*
Waar is hij! Ik heb hem horen roepen! Hij riep Gretchen! Hij riep mij! Waar is hij! Ach, door al dat gehuil en tandengeklapper herken ik hem, hij roept mij: Gretchen! *zich voor hem neerwerpend* Man! Man! Geef hem mij, breng hem mij! Waar is hij?

FAUST *pakt haar in wilde vertwijfeling bij haar hals.*
Mijn liefste! Mijn liefste!

*Margarete zakt in elkaar, verbergt haar hoofd in zijn schoot.*
Kom nou, mijn lief! Je moordenaar wordt je bevrijder. Kom! – *Ze is zo verdoofd dat hij haar handboeien kan openmaken.* Kom, we hoeven jouw verschrikkelijke lot niet te ondergaan.

MARGARETE *tegen hem aanleunend*
Kus me! Kus me!

FAUST
Straks duizend keer! Maar haast je, Gretchen, haast je!

MARGARETE
Kus me! Kun je niet meer kussen? Wat? Wat! Je wilt mijn Heinrich zijn en bent het kussen verleerd? Terwijl anders met jouw omarming een hele hemel met geweld over me heen kwam. Jij die mij kuste alsof je mij dood wilde knuffelen. Heinrich, kus me, anders kus ik jou. *Ze vliegt hem in het gezicht.* O wee! je lippen zijn koud! dood! geven geen antwoord!

FAUST
Volg me, ik omhels je straks duizend keer vuriger. Maar volg me.

MARGARETE *gaat zitten en zegt een tijdlang niets.*
Heinrich, ben jij het?

FAUST
Ik ben het. Kom mee.

MARGARETE
Ik begrijp het niet! Jij? Mijn boeien los! Bevrijd... jij... mij. Weet je wel wie je bevrijdt?

FAUST

Kom op! kom!

MARGARETE

Mijn moeder heb ik omgebracht! Mijn kind heb ik verdronken. Jouw kind! Heinrich! – Grote God in de hemel, is dat geen droom! Je hand, Heinrich! – Die is nat – Veeg hem af, alsjeblieft! Er kleeft bloed aan – Steek je degen op! Ik word gek!

FAUST

Je brengt me om!

MARGARETE

Neen, jij moet overleven, moet ons allemaal overleven. Wie zou er anders voor de graven zorgen? Mooi op een rijtje, ja? Daar naast moeder mijn broer! Mij daar en mijn kindje aan mijn rechterborst. Zweer me dat je mijn Heinrich bent.

FAUST *wil haar wegtrekken.*

Voel je me! Hoor je me? Kom dan toch, ik ben het, ik bevrijd je.

MARGARETE

Daarheen.

FAUST

Waar je vrij bent!

MARGARETE

Daarheen! Voor geen goud. Is daar het graf, kom dan! Loert daar de dood, kom dan! Van hieruit het eeuwige rustbed in en geen stap verder. Ach, Heinrich, kon ik maar met je mee.

FAUST

De kerker is open, schiet op nu.

MARGARETE

Ze liggen al op de loer, langs de straat bij de bosrand.

FAUST

Weg! Weg!

MARGARETE

Voor geen goud – Kijk hem met zijn beentjes trappelen! Red dat arme wurmpje, hij trappelt nog! – Schiet op! Gauw! Alleen maar het bruggetje over, rechtuit het bos in, links bij de vijver, waar het plankier is. – Schiet op! red hem, red hem!

FAUST

Red je! red jezelf!

MARGARETE

Waren we maar vast voorbij die berg, daar zit mijn moeder op een steen te knikkebollen! Ze wuift niet, ze knikt niet, ze heeft een zwaar hoofd. Ze moest slapen zodat wij konden waken en vrijen.

*Faust pakt haar beet en wil haar wegdragen.*

Ik ga gillen, ik gil tot iedereen wakker wordt.

FAUST

Het wordt al dag. O liefje! liefje!

MARGARETE

Dag! Ja, het daagt! De laatste dag! de dag dat ik trouw! – Zeg tegen niemand dat je al een nacht daarvoor bij Gretchen was. – Mijn kransje! – Wij zien elkaar weer! – Hoor je de burgers al aan komen sloffen door de steegjes! Hoor je wel! Het wordt doodstil. Daar roept de klok! – Krak, het houtje knakt! – In elke nek flitst nu het zwaard dat naar de mijne flitst. – Hoor toch die klok.

MEFISTOFELES *verschijnt.*

Sta op! of je bent verloren; mijn paarden rillen, de dag breekt aan.

MARGARETE

Hij! Hij! Laat af van hem, stuur hem weg! Hij wil mij! Nee! Nee! Hemels gerecht, in uw hand leg ik mijn lot, in uw hand! Red mij! Nooit ofte nimmer! Voorgoed tot ziens. Tot ziens, Heinrich.

FAUST *haar vastpakkend*

Ik laat je niet gaan!

MARGARETE

Heilige engelen, bewaar mijn ziel – ik ril van je, Heinrich.

MEFISTOFELES

Haar lot is bezegeld!

*Hij verdwijnt met Faust, de deur valt kletterend dicht, men hoort, wegstervend*

Heinrich! Heinrich!

# Nawoord

## ‘Oerfaust’ of Kernfaust?

In 1887 werd in de nalatenschap van Luise von Göchhausen, voormalig hofdame in Weimar, een sensationele vondst gedaan: een vroege versie van Goethes toen al wereldberoemde *Faust*. Het ging niet om een manuscript maar om een afschrift. Van Goethe is bekend dat hij regelmatig in kleine kring uit zijn werk placht voor te lezen en het kwieke, literair geïnteresseerde freuletje moet bij een van die sessies toestemming hebben gekregen voor eigen gebruik een kopie te vervaardigen, misschien zelfs in tegenwoordigheid van de dichter zelf, die haar vlijtig pennend achter haar schrijftafel in een tekening vereeuwigde. De vinder van deze vroege Faust-versie, Erich Schmidt, was zich van het belang van zijn vondst terdege bewust, getuige de trotse titel waarmee hij de publicatie de wereld in stuurde: *Goethes Faust in ursprünglicher Gestalt*. Albrecht Schöne, die in 1994 een complete editie van Goethes Faust-teksten verzorgde en in zijn commentaar de vloer aanveegt met praktisch alle eerdere uitgaven, heeft niet geheel ten onrechte tegen deze naamgeving geprotesteerd. Het gaat immers ‘maar’ om een afschrift, dat in die hoedanigheid talrijke vragen opwerpt. Of Luise inderdaad de toenmalige tekst compleet in handen heeft gekregen, welke slordigheden er tijdens het kopiëren (of bij het dicteren) zijn in geslopen, het is bij gebrek aan Goethes manuscript allemaal niet te verifiëren, terwijl bovendien de exacte datering speculatief is (vermoedelijk omstreeks 1775-76, ruim dertig jaar voor de definitieve publicatie van *Faust* I).

Het inmiddels ingeburgerde begrip 'Oerfaust' moge filologisch aanvechtbaar zijn, Schönes oernuchtere hertiteling *Vroege versie* maakt in de literaire wereld uiteraard geen enkele kans. Gelukkig maar, want door die pakkende benaming heeft het stuk een aandacht gekregen die verre van onverdiend is. De *vroege versie* is dan wel niet de *vroegste* versie (die is met het 'konfuse Manuskript' waarin Goethe de eerste schetsen van zijn drama noteerde door hem zelf vernietigd), maar ze bevat wel degelijk de essentie van de latere Faust-tragedie, en dat in een onmiddellijk toegankelijke vorm; geen 'Oerfaust' derhalve, maar op zijn minst een Kern- of Rompfaust!

## Een Sturm-und-Drang-drama

Daarmee is al iets gezegd over het belang van deze vroege versie, die allengs zou uitgroeien tot wat met de volledige titel *Faust, der Tragödie Erster Teil*, of korter *Faust* I zou komen te heten. Hoewel ruim eenderde korter dan de geautoriseerde uitgave van 1808 is deze Faust-in-een-notendop van de vijfentwintigjarige Goethe zeker geen incomplete tekst. In veel opzichten is hij zelfs 'ronder' dan *Faust* I, waar men aan het eind met talrijke vragen blijft zitten, omdat daar niet duidelijk is wat er van Mefisto's weddenschap met God geworden is en in hoeverre Mefisto aanspraak kan maken op Fausts ziel. In de 'Oerfaust' daarentegen, waar noch van een 'proloog in de hemel' noch van enig contract tussen Faust en Mefisto sprake is, liggen de zaken veel eenvoudiger: Faust en Mefisto zijn van begin af aan elkaars compagnon, met Gretchens tragische ondergang als consequentie.

Het is juist door zijn compactheid dat de 'Oerfaust' tot op de dag van vandaag een vaste plaats op de planken heeft weten te veroveren: niet alleen kleinere ensembles geven vaak de voorkeur aan deze 'oerversie' waarin alle aandacht op de interactie tussen de dramatis personae is gericht en die soms ook beter 'bekt', vooral in de prozascènes die Goethe later op rijm zou zetten. Een ander voordeel is dat er een aantal verwarrende, moeilijk speelbare passages ontbreekt, waarin het bovendien wemelt van personages die voor de handeling ontbeerlijk zijn, met name in de 'Osterspaziergang', de 'Walpurgisnacht' en het eigenaardige intermezzo van de 'Walpurgisnachtstraum'.

Terwijl de grote, tweedelige Faust-tragedie zou uitdijen tot een experimentele, en met name in het tweede deel labyrintische tekst, die in feite alle grenzen van het theater (en soms ook van de lezer) overschrijdt, is de goed speelbare 'Oerfaust' een van de weinige Sturm-und-Drang-stukken die de tand des tijds glorieus hebben doorstaan.

De principes van dit genre zijn door Lenz anno 1774 in zijn *Anmerkungen übers Theater* nauwkeurig beschreven: in deze theatervorm worden de regels van het classicistische toneel bewust verlaten, met name de 'eenheid van plaats, tijd en handeling' moet eraan geloven. Kenmerkend zijn de snel wisselende locaties, de ruimhartige wijze waarop met het tijdsverloop wordt omgesprongen, en een handeling die gefragmenteerd is in soms extreem korte episoden. Deze worden losjes met elkaar verbonden door de hoofdfiguren, karakters die stormlopen tegen knellende conventies (zoals Faust) en met de heersende moraal in conflict komen of eraan te gronde gaan (zoals Gretchen). Een ander kenmerk is dat de strikte scheiding tussen tragedie en komedie is opgeheven; ook in dat opzicht is *Faust* een typisch Sturm-und-Drang-stuk, met Auerbachs wijnlokaal en Gretchens kerker als extreem tegenovergestelde locaties; en met de unieke figuur van buurvrouw Marthe, die tegelijk zeer komisch en zeer tragisch is.

In één opzicht gaat Goethe anders te werk dan jonge toneelschrijvers van zijn generatie als Lenz en Schiller: afwijkend van wat de radicale Sturm-und-Drang-esthetica voorschrijft, maakt Goethe in zijn *Faust*-drama gebruik van het rijm. Hij hanteert het echter op een zeer vrije en expressieve manier en ook niet exclusief: het proza-aandeel is veel groter dan in de latere versie, waarin het nog slechts in de scène 'Sombere dag. Veld' als een relict uit de de Sturm-und-Drang-periode door Goethe is gehandhaafd.

## Van 'Oerfaust' tot Faust-tragedie

Voor een uitvoerige proloog of expositie is in de Sturm-und-Drang-stukken zelden ruimte. Ook Goethe valt met de deur in huis, om precies te zijn in de studeerkamer van zijn held, met diens beroemde monoloog als ijzersterke binnenkomer. In de definitieve versie laat Goethe deze overrompelende start voorafgaan door een zorgvuldig geconstrueerde drietrapsraket, bestaande uit achtereenvolgens een poëtische bespiegeling (het gedicht 'Zueignung'), een bewustmaking van het spelkarakter ('Vorspiel auf dem Theater') en een metafysisch raamwerk ('Prolog im Himmel'). Pas dan krijgen we de beroemde monoloog te horen van de onbevredigde geleerde die de wetenschap heeft afgezworen en is overgestapt naar de magie, het portret van een melancholicus die in zijn verlangen naar het absolute de aardgeest oproept en daarbij zijn eigen nietigheid om de oren geslagen krijgt, waarna ter verdere ontnuchtering ook nog eens de naïef-weetgierige assistent Wagner aan komt kloppen. In *Faust* I volgt hierop Fausts vertwijfelde besluit om zelfmoord te plegen, iets waarvan hij op het laatste moment wordt weerhouden door het gelui van de kerkklokken, die hem aan het nog ongebroken godsvertrouwen van zijn jeugd herinneren. In de daaropvolgende 'paaswandeling' duikt dan aan het eind van de dag een poedel op waarin zich Mefisto blijkt schuil te houden. Het is het begin van een levenslange maatschap die Faust van het kleine, zuivere wereldje van Gretchens kamer naar de 'grote', corrupte, door geld en macht bepaalde wereld van het keizerlijk hof zal brengen.

Al deze schakels ontbreken nog in de Sturm-und-Drang versie, waarin Mefisto op een geheel andere manier ten tonele gevoerd wordt: als opgeblazen geleerde (gemodelleerd naar professor Gottsched uit Goethes Leipziger studententijd) pretendeert hij een naïeve, aankomende student wegwijs te maken in het academische wereldje. Deze scène komt (ietwat veranderd) ook in de definitieve versie voor, maar is daar tot een komisch intermezzo gereduceerd. In de 'Oerfaust' ligt dat anders: Mefisto presenteert zich hier van meet af aan als karikaturale afspiegeling en nihilistisch alter ego van Faust. Vandaar dat ze ook qua uiterlijke verschijning in deze vroege versie dichter bij elkaar staan. Deze Faust (nog zonder baard) is zeker geen oude man, en hij hoeft daarom ook niet in een *heksenkeuken* kunstmatig verjongd en van potentieverhogende middelen te worden voorzien. Ook qua karakter staan ze elkaar veel nader: Mefisto is meer Faust, Faust meer Mefisto. Zo verschijnt de laatstgenoemde, uitgedost als geleerde, heel wat minder infernaal dan in *Faust* I, waar we hem van poedel tot nijlpaard en olifant zien opzwellen alvorens hij met veel rook en hocus-pocus zijn menselijke gestalte krijgt. In de 'Oerfaust', waar hij onaangekondigd als slaperige professor 'in een nachthemd met een pruik op' zijn opwachting komt maken en een groen studentje met verbaal vuurwerk imponeert, beantwoordt hij direct aan Fausts gehate zelfbeeld: iemand die zichzelf én anderen met waardeloze kennis voor de gek houdt. Ook de simpele, weetgierige student is een spiegelbeeld, en wel van

Fausts adept Wagner, die zo trots verkondigt hoe 'heerlijk ver' 'we' het in de wetenschap hebben gebracht.

Dat de getormenteerde protagonist van de 'Oerfaust' niet alleen vitaler maar ook meer een charlatan is dan in de latere versie, blijkt uit het tafereel in *Auerbachs wijnlokaal*. Faust draait hier als hypnotiseur en illusionist letterlijk de aanwezige drinkebroers een loer; een rol die in de latere versie Mefisto krijgt toegewezen. Het feit dat deze kroegscène hier nog grotendeels in proza is geschreven, maakt dat de werking ervan veel directer, 'boertiger' en kluchtiger uitvalt dan in de berijmde versie van 1808.

Een uiterst korte scène, door Goethe later geschrapt, vormt de overgang naar de scènes waarin Margarete ten tonele verschijnt. Eerst zien we Mefisto, die op een *landweg* zijn ogen neerslaat voor het kruisbeeld. Pal daarop volgt dan de beroemde scène waarin Gretchen juist uit de biecht komt en voor de kerk door haar toekomstige minnaar wordt aangesproken. Daarmee begint de ontroerende, voor het meisje fataal verlopende romance die zo menig opera- en liedcomponist heeft geïnspireerd. Dit hele complex is door Goethe met vaak maar kleine tekstuele veranderingen in het latere drama overgenomen. Wel ontbreekt er de moord op Gretchens broer Valentin in het straatje voor haar huis, een omissie waaraan misschien de kopiiste debet is. In elk geval is waarschijnlijk dat Goethe de moord wel al gepland heeft, immers herinnert Mefistofeles Faust kort voor het einde aan de 'bloedschuld' die op de stad rust.

## Faust en Margarete

In de 'Oerfaust' (en in het bewustzijn van veel lezers) vormt de tragische liefdesaffaire van Faust en Margarete de essentie van het hele gebeuren. Onze aandacht blijft voortdurend gefocust op de fatale verstrikking van de drie protagonisten. Van Fausts en Mefisto's tussentijdse klim naar de wellustige excessen van de *Walpurgisnacht* is evenmin sprake als van de eenzame onderzoekersdrift waarmee Faust zich in grotten en holen aan de gevolgen van zijn liefdesavontuur onttrekt. Daarom komt in de 'Oerfaust' de tragiek van deze liefde, die zich zonder verwarrende retarderende momenten naar haar fatale einde spoedt, veel nadrukkelijker tot gelding. Dat blijkt vooral uit de fameuze kerkerscène, waarvan Goethe de aangrijpende werking later welbewust gedempt heeft. Hij deed dit omdat hij in zijn classicistische periode dit hartverscheurende tafereel 'door zijn natuurlijkheid en sterkte in verhouding tot de rest onverdraaglijk' achtte en besloot de scène op rijm te zetten, waardoor 'de idee als door een dundoek doorschemert, terwijl het directe effect ervan wordt gedempt' (brief aan Schiller, 5 mei 1798). Over de noodzaak van deze *soft-focus* kan men van mening verschillen, zeker is wel dat elke toneelspeler zonder aarzelen aan de oorspronkelijke, fellere versie de voorkeur geeft. Overigens heeft Goethe in de voorafgaande scène het proza wel degelijk gehandhaafd, maar de reden daarvan laat zich makkelijk raden: van deze briesend en schuimbekkend voorgedragen tirade, die met zijn vele uitroeptekens en tussenwerpsels een typisch staaltje van Sturm-und-Drang-taalgebruik laat zien, is een 'gevoileerde' rijmversie ondenkbaar!

## Van 'Oerfaust' tot *Faust* II

Goethes tweedelige *Faust*-spel, pas in 1832, kort voor het einde van zijn leven, geheel voltooid, is een waanzinnig geheel, waarover men niet uitgedacht raakt, experimenteel zowel naar vorm als naar inhoud, met geen ander werk, ook van Goethe zelf niet, te vergelijken. Het is een labyrint, een kosmos waarin al veel commentatoren hopeloos verdwaald zijn, en een permanente uitdaging om dat steeds opnieuw te doen. Dat heeft ook zijn schaduwzijde. Want hoewel het tweede deel recentelijk steeds meer in de belangstelling is komen te staan, zijn er nog altijd veel lezers die het bij voorbaat ongelezen laten omdat het nu eenmaal toch onbegrijpelijk zou zijn. Daarmee doen zij zichzelf zeer tekort. Juist deze voortzetting is van een overrompelende rijkdom: het illustere koppel belandt in het machtscentrum van de 'grote wereld', waar normen en waarden even inflatoir blijken te zijn als het papiergeld dat Mefisto uitvindt. We krijgen een Faust te zien die als bevelvoerder het politieke falen van een zwakke heerser met grootscheepse krijgsmanoeuvres moet zien te keren en de wetenschap heeft overgelaten aan zijn voormalige assistent, die in zijn laboratorium de kunstmatige mens uitvindt. Deze late Faust is 'jenseits von gut und böse', een man die de Gretchen-catastrofe uit zijn geheugen heeft laten verdampen en in een mythische voortijd op zoek gaat naar de ultieme schoonheid van een Helena van Troje, waarna hij zich, terug in de werkelijkheid, als een moderne projectontwikkelaar en kolonisator ontpopt. Zijn queeste mondt uit in een visionair megaproject dat zijn eigen dood inluidt. Gretchen lijkt hier verder weg dan ooit. Maar tijdens een duizelingwekkende hemelvaart verschijnt opnieuw haar gestalte, omhoog zwevend, lang uit het oog verloren, terug van weggeweest.

Wie dit alles nog een brug te ver is, doet er verstandig aan om voorlopig in het voetspoor van de 'Oerfaust' te blijven. Er is geen betere introductie in Goethes *magnum opus* dan via deze tekst, die zich beperkt tot de 'kleine wereld' van Gretchens kamertje, geschilderd op een tijdstip dat het einde van Fausts reis nog ruim een halve eeuw op zich zou laten wachten.

## De vertaling

De door mij gehanteerde vertaalstrategie heb ik in het nawoord van mijn complete vertaling van *Faust* eerder toegelicht. Om niet in herhaling te hoeven vervallen, citeer ik hier graag Jaap Goedegebuure, die beter dan ikzelf het door mij gekozen procédé heeft gekarakteriseerd: 'Eigenlijk zou je het vertalen van vermaarde werken uit de wereldliteratuur ook wel een soort alchimie mogen noemen. De klassieke, met commentaren en voetnoten dichtgeplamuurde tekst wordt ondergedompeld in het bad van een andere taal en ondergaat op die manier een verjongingskuur.' Juist bij zo'n sprankelend 'speelstuk' als de 'Oerfaust' lijkt mij deze benadering de juiste om recht te doen aan het levendige, op de spreektaal geënte taalgebruik van de jonge Goethe.

Aangezien verreweg het grootste gedeelte van deze 'oertekst' in Goethes definitieve *Faust*-versie een plaats heeft gevonden, kon ik ruimschoots gebruikmaken van mijn eerdere vertaling, waarbij ik uiteraard rekening moest houden met talrijke grote en kleine afwijkingen. Men denke overigens niet dat Goethe de tekst van de 'Oerfaust' alleen maar zou hebben uitgebreid; er zijn ook passages die in de definitieve versie ontbreken omdat ze niet meer strookten met het inmiddels veranderde concept. Hoe interessant de verschillen tussen de diverse versies ook zijn, voor een goed begrip van de 'Oerfaust' is zulke informatie allerminst noodzakelijk. Wat Goethe rond 1776 de moeite van het voorlezen waard vond, staat als een huis. Wil men het werk op zijn eigen merites beoordelen, dan doet men er goed aan zich niet bij voorbaat in de latere bouwfases en uitbreidingsplannen te verliezen. In de aantekeningen is hier dan ook bewust nauwelijks aandacht aan besteed.

Voor deze vertaling is gebruikgemaakt van de tweedelige editie van Albrecht Schöne: Johann Wolfgang Goethe, *Faust, Texte*, Frankfurt am Main, 1994. p. 467-539, respectievelijk *Kommentare*. p. 827-915.

Enige spaarzame aanvullingen uit de door Goethe zelf geredigeerde *Faust*-publicaties, te weten *Faust. Ein Fragment* (1708) en *Faust. Eine Tragödie* (1808) zijn tussen [ ] geplaatst.

Aantekeningen

5
*Nacht* – De nachtscène met de beroemde monoloog, die door zijn vorm (het onregelmatige en vrijwel alleen hier gebruikte 'Knittelvers') herinnert aan de primitieve poppenspelversies van *Faust*. Faust verschijnt hier als een gefrustreerd man die zijn carrière als mislukt beschouwt, niet alleen omdat de wetenschap hem teleurgesteld heeft, maar ook omdat hij er geen geld en roem aan heeft overgehouden.

5
*filosofie* – In de Middeleeuwen vormde de filosofie een soort van propedeuse, alvorens de student een van de hoger gewaardeerde faculteiten koos. Dat Faust naar eigen zeggen 'helaas' ook theologie heeft gestudeerd is een eerste blijk van zijn scepsis in religieuze aangelegenheden.

5
*magie* – De aantrekkingskracht van de magie en aanverwante geheime leren school en schuilt in haar pretentie dingen te kunnen verklaren waarop de wetenschap nog geen bevredigend antwoord heeft.

7
*Nostradamus* – Frans astroloog en alchimist (1503-1566), bekend om zijn *Centuriën*, duistere, profetische vierregelige rijmpjes.

7
*macrokosmos* – Grieks voor 'groot heelal'. In Goethes alchemistische en mystieke geschriften staan veel geometrische figuren die door middel van symbolen van elementen en planeten laten zien hoe het *oneindig netwerk* van de schepping tot *eenheid is verweven.*

8
*aardgeest* – door Hederich in zijn door Goethe veelvuldig geraadpleegde mythologische lexicon 'Daemogorgon' genoemd. Goethe had aanvankelijk het idee de geest als een (door zijn grootte) schrikaanjagende kop op een transparant in het venster achter in Fausts studeervertrek te laten verschijnen. Later dacht hij aan een bewegelijk projectieapparaat (zoals bij de verschijning van Helena in deel II). Uit de classicistische tijd (na 1810) stamt zijn eigenhandige schets, waar de geest de trekken van de zonnegod Helios draagt. De toevoeging dat de aardgeest *in afschuwelijke gedaante* verschijnt is door Goethe in de latere versie dan ook geschrapt.

11
*Wagner* – Fausts 'famulus' of assistent. De figuur duikt al op in het *Faust*-drama van Shakespeares tijdgenoot Marlowe (1564-1593).

14
*student* – Van dit studieadviesgesprek schrapte Goethe later het hele gedeelte dat op huisvesting en voeding betrekking heeft. In plaats daarvan laat hij Mefistofeles ook twee andere studierichtingen (rechten en theologie) beschrijven.

18
*collegium logicum* – De logica als formele 'leer van het denken' vormde tot in Goethes tijd het uitgangspunt van de filosofie in het algemeen en van de hogere faculteiten (geneeskunde en theologie) in het bijzonder.

19
*encheiresis naturae* – Grieks/Latijn, letterlijk: 'kunstgreep van de natuur'. Met de chemische 'encheiresis' wordt het vermogen bedoeld stoffen te scheiden (waardoor het *geestelijk verband* verloren gaat).

22
*Eritis sicut Deus, scientes Bonum et Malum* – Latijn: 'Gij zult zijn als God, kennende goed en kwaad.' Met deze tekst (hier in de Vulgaatversie) verleidde de slang Eva tot het eten van de appel (Genesis 3:5). In Marlowes *Tragical History of Doctor Faustus* is het Faust zelf die de wens uitspreekt God te worden. Voor Goethes Faust is niet God de uitdaging maar de *aardgeest*: 'Ik ben het, Faust, ben jouw gelijke!'

22
*Auerbachs kelder in Leipzig* – Hier zag Goethe in zijn studententijd de uit 1625 daterende muurschilderingen waarop Faust (met poedel) is afgebeeld tijdens een drinkgelag met studenten, en op een wijnvat de wijnkelder uit rijdend.

22, 23
*Kwakernaak/Brander/Siebel/Oudman* – Van deze 'vrolijke drinkebroers' zijn de eerste twee door hun naam als studenten gekenmerkt. Kwakernaak (er staat Frosch: kikker) als groentje in het

eerste semester, 'Brandfuchs' was de betiteling van een student in het tweede semester. Oudman en Siebel zijn kennelijk van oudere datum, eventueel reünisten.

23
*Heilige Roomse Rijk* – Het Duitse keizerrijk (962-1806) ('das Heilige Römische Reich Deutscher Nation') was al eeuwenlang een conglomeraat van steeds zelfstandiger wordende gebiedsdelen, 'verenigd' onder de Romeins-Duitse keizerskroon. Het bestond nog toen Goethe deze tekst schreef, maar het hier al aangekondigde einde volgde in 1806 met de afdanking van Franz II.

25, 26
*Brussel/Manneke* – Er staat: 'Rippach/Meneer Hans'. 'Arsch von Rippach' ('Reet van Rippach') was in Goethes tijd een geliefd scheldwoord. Hans Arsch was een kroegbaas in het dorpje Rippach. Om de steek onder water die Kwakernaak hier uitdeelt te kunnen weergeven, was een wat vrijere vertaling noodzakelijk.

26
*Bij Biervliet... de zuipschuit* – Er staat letterlijk: 'Bij Wurzen moet je ellendig lang op de veerpont wachten.' Wurzen was een om zijn bierbrouwerij bekend stadje.

27
*vlo* – Deze beroemde, onder anderen door Beethoven en Moessorgski op muziek gezette satire op het nepotisme verwijst hier naar hofpraktijken van vlak voor de Franse revolutie. Regel 3 en 4 van de derde strofe zijn hier toegevoegd uit de latere *Faust* I, ze zijn kennelijk bij het kopiëren over het hoofd gezien.

33
*Margarete* – Margarete, de tragische heldin, krijgt van Faust pas later de koosnaam 'Gretchen'.

35
*Boccaccio* (1313-1375), de beroemde schrijver van de *Decamerone*, een reeks frivool-erotische novellen. Goethe noemt hem niet met name, er staat letterlijk: 'zoals zo menig Waals verhaal ons leert', een verwijzing naar de Romaanstalige erotische literatuur.

39
*kistje* – Het verleidelijke van de aan Gretchen aangeboden sieraden berust mede op het feit dat het dragen van gouden sieraden in de Middeleeuwen nadrukkelijk voor niet-adellijken verboden was.

40
*Margarete met een lantaarn* – een realistisch trekje. Belangrijker dan de vraag of ze van het schijthok dan wel van Marthe komt, is het feit dat het nacht is – in overeenstemming met de dromerig-broeierige sfeer.

40
*Er was eens een koning in Thule* – In mijn eerdere *Faust*-vertaling heb ik deze ballade in het Middelnederlands weergegeven. Ik deed dat niet zonder reden. Gretchens lied is (zoals Heines Loreley-gedicht) typisch een 'Märchen aus alten Zeiten', zowel naar vorm als naar inhoud. Deze romantische utopie van een liefde die de dood overleeft, is door Goethe geschreven in de stijl van een oude volksballade. Hij werd daartoe geïnspireerd door zijn

vijf jaar oudere vriend Herder. Deze beschouwde zulke liederen als 'die bedeutendsten Grundgesänge einer Nation'. Diens in 1778 gepubliceerde verzameling *Volkslieder* had een machtige invloed op de romantische poëzie. Enkele jaren later traden Clemens von Brentano en Achim von Arnim in Herders voetsporen met hun driedelige bundel *Des Knaben Wunderhorn*, een verzameling 'alte deutsche Lieder' (waaronder overigens ook een paar gloednieuwe, die zij zelf geschreven hadden!). Kortom, het 'volkslied' of wat daarvoor doorging was 'in', en Goethe en Schiller waren meesters in het genre. Hun zogenaamde 'kunstballaden' werden door talrijke tijdgenoten op muziek gezet. De 'Koning in Thule' staat aan het begin van deze traditie. In Duitsland geniet dit lied in de eenvoudige toonzetting van Goethes vriend Zelter tot op de dag van vandaag de populariteit van een 'echt' volkslied.

Van een vergelijkbare romantische liedcultus is in Nederland nooit sprake geweest. Dat heeft tot gevolg dat Nederlandse vertalingen van dit soort teksten, of ze nu van Goethe, Eichendorff of Heine zijn, altijd wat onbevredigend klinken. Met name het 'liedhafte' dreigt verloren te gaan, juist datgene wat een hele reeks componisten (onder wie Schubert en Schumann) ertoe bewogen heeft deze balladen op muziek te zetten. In eerste instantie was ik daarom geneigd Gretchen maar gewoon in het Duits te laten zingen en de tekst onvertaald te laten; bij nader inzien leek me dat wat al te gemakkelijk. Om toch iets van de nostalgische 'aura' van Goethes ballade te redden, besloot ik tot een vertaling in het Middelnederlands, met als voorbeeld de bekende ballade 'Daar waren twee koningskinderen'. Qua sfeer, thema en strofevorm is dit lied met Goethes tekst ten nauwste verwant, en door de charme van een 'voorbije taal' hoopte ik in het Nederlands iets van de romantische lading over te kunnen brengen. Het is trouwens zeer waarschijnlijk dat Goethe zelf zich door dit oude lied heeft laten inspireren; een Duitse versie in *Des Knaben Wunderhorn* bewijst dat de tekst ook in Duitsland allang bekend was.

40
*Thule* – in de Oudheid de naam voor het fabuleuze noordelijkste eiland, dat voor het einde van de wereld werd gehouden. Het gedicht is beroemd geworden in de latere versie (met sterk gewijzigde eerste zes verzen). Het door Margarethe gezongen lied is een van Goethes populairste gedichten.

45
*Marthe* – Marthe Schwerdtlein, de tragikomische weduwe, buurvrouw van Margarete, is een van de geestigste scheppingen uit de gehele Duitse blijspelliteratuur.

45
– – – – – Met de streepjes duidt Goethe aan dat Marthe door haar emoties overmand wordt.

48
*Padua* – stad in Noord-Italië, alwaar zich de aan de heilige Antonius gewijde Basilica di San Antonio bevindt.

50
*Napels* – stad waar volgens Mefistofeles' gefingeerde relaas mijnheer Schwerdtlein de 'Napolitaanse ziekte' (syfilis) zou hebben opgelopen.

53
*Sancta simplicitas!* – Heilige eenvoud! Door de reformator Jan Hus op de brandstapel uitgeroepen toen hij een eenvoudige van geest nog wat extra hout zag aandragen.

63
*Gretchen aan het spinnewiel* – in Schuberts liedversie beroemd geworden. Anders echter dan de 'Koning in Thule' hebben we hier niet te maken met een lied maar met een dramatische monoloog. In strofe 9 heeft Goethe in *Faust* I de uitgesproken seksualiteit wat verbloemd: in plaats van 'schoot' staat er dan 'lichaam'.

65
*Heinrich* – De historische Faust heette Johannes. Vermoedelijk wilde Goethe vermijden dat Faust als zijn alter ego werd beschouwd. Desondanks hebben veel commentatoren dit gedaan, wat een merkwaardig vertekende beeldvorming bij de figuur van Faust ten gevolge heeft gehad.

69
*kijk wat ik laatst vond* – Er staat iets als: 'Daar weet ik wel iets op' ('Das hat keine Noth'). Veel commentatoren nemen Faust hier ten onrechte in bescherming en beweren dat Mefistofeles hem dit flesje bezorgd heeft. Dat staat echter nergens. Belangrijker lijkt de constatering dat Faust dit flesje al gedurende het gehele gesprek op zak had.

72
*haar roosje kwijt* – Daarmee wordt het uitblijven van de maandelijkse bloeding bedoeld.

72
*distels* – Er staat: 'fijngehakt stro strooien we voor de deur'; stro in plaats van de bruidskrans, een naar folkloristisch gebruik.

73
*Stadsmuur* – De scène speelt in de nauwe ruimte tussen huizen en stadsmuur (Duits: 'Zwinger'). Het beeld van de treurende Maria bevindt zich in een nis in deze muur.

73
*Mater dolorosa* – Gretchens gebed tot Moeder Maria herinnert in de eerste drie strofen aan de liturgische hymne 'stabat mater dolorosa' uit de dertiende eeuw. Het begin daarvan luidt (in de vertaling van Willem Wilmink): 'De moeder stond door smart bevangen / en met tranen langs haar wangen / waar haar zoon gekruisigd hing / en het was haar in haar lijden / of een zwaard haar kwam doorsnijden / dat dwars door het hart heen ging.' In veranderde vorm klinkt dit gebed opnieuw aan het eind van deel II r. 12 069 en verder.

75
*boze geest* – niet per se een duivel maar de personificatie van Gretchens slechte geweten. Goethe schildert dit hele tafereel vanuit Gretchens subjectieve waarneming, hetgeen blijkt uit het feit dat van het 'dies irae' alleen de bedreigende strofen worden weergegeven en niet die waarin Gods erbarmen en genade worden afgesmeekt. De aanduiding dat het hier om de begrafenis van Gretchens moeder gaat is later door Goethe geschrapt.

76
*Dies irae* – sequens uit de middeleeuwse Latijnse dodenmis. Letterlijk: 'De dag van de toorn, die dag zal de wereld in vlammen doen opgaan.'

76
*Judex ergo* – 'Als zo de rechter zijn plaats heeft ingenomen, zal alles openbaar worden wat verborgen is, zal niets ongestraft blijven.'

77
*Quid sum* – 'Wat zal ik, ellendige, dan zeggen? Wie zal ik om voorspraak smeken, waar toch zelfs de rechtvaardige niet zeker is?'

77
*uw flesje* – Het flesje met reukwater dat Gretchen voor het flauwvallen moet behoeden; eventueel al een symptoom van haar zwangerschap.

79
*in 't hutje op de kleine alpenwei* – Dit is uiteraard niet letterlijk op te vatten, maar als voortzetting van de eerder begonnen beeldspraak. De hele claus is door Goethe later in een aparte scène (*Bos en hol*) ondergebracht.

80
De titel *Sombere dag, veld* ontbreekt nog in het afschrift van Luise von Göchhausen. Van de prozascènes in de 'Oerfaust' is dit de enige die Goethe later niet in rijm heeft omgezet.

82
*bloedschuld* – verwijst naar de in deze versie nog ongeschreven scène waarin Faust Gretchens broer Valentin doodsteekt.

83
*ravensteen* – verhoogde plaats waar vroeger onthoofdingen plaatsvonden; vooruitlopend op het doodvonnis dat Gretchen te wachten staat.

83
*Mijn moeder, de hoer* – Dit lied stamt uit het sprookje 'Von dem Machandelboom/Van de jeneverbes' (als nr. 47 opgenomen in de *Kinder- und Hausmärchen* van de gebroeders Grimm), waarin het ook draait om een door haar moeder vermoord kind. Gretchen projecteert daarop haar eigen schuldgevoelens en haar hoop op verlossing.

87
*het houtje knakt* – Met dit ritueel bezegelt de rechter het doodvonnis.

88
*Haar lot is bezegeld* – Er staat: 'Ze is gericht!' Mefistofeles gebruikt hier de bijbelse uitdrukking, maar doelt waarschijnlijk minder op goddelijke verdoemenis dan op het doodvonnis dat Margarete als kindermoordenares te wachten staat. In de latere versie laat Goethe hierop een *stem uit de hemel* een *Is gered!* echoën, wat vooruitwijst naar het eind van deel II, waar Faust in zijn hemelvaart wordt voorgegaan door *een van de boetvaardigen, vroeger Gretchen genaamd.*

Salamander Klassiek

Belcampo *Bevroren vuurwerk*
Louis Paul Boon *Abel Gholaerts*
*Vergeten straat*
Caesar *Oorlog in Gallië*
Louis Couperus *De stille kracht*
*Van oude mensen, de dingen, die voorbijgaan...*
Maria Dermoût *De tienduizend dingen*
Lodewijk van Deyssel *Een liefde*
Willem Elsschot *Een ontgoocheling & Het dwaallicht*
*Lijmen / Het been*
*Tsjip / De leeuwentemmer*
Johann Wolfgang Goethe *Faust. Oerversie*
*Het lijden van de jonge Werther*
Herman Gorter *Mei*
Baltasar Gracián *Handorakel en kunst van de voorzichtigheid*
Abel J. Herzberg *Amor fati. Zeven opstellen over Bergen-Belsen*
Homerus *Ilias*
*Odyssee*
Franz Kafka *De gedaanteverwisseling*
*Het proces*
*Het slot*
Thomas Mann *De dood in Venetië*
Martialis *Romeinse epigrammen*
Multatuli *Max Havelaar*
Piet Paaltjens *Snikken en grimlachjes*
Plato *Feest (Symposium)*
*Sokrates' leven en dood*
J. Slauerhoff *Het verboden rijk*
Suetonius *Keizers van Rome*

Theo Thijssen *In de ochtend van het leven*
*Kees de jongen*
Vergilius *Aeneis*
S. Vestdijk *De koperen tuin*
*Terug tot Ina Damman*